상위권으로 가는 [illegible] 연산 학습지

# 응용 연산

10까지의 수에서 더하기, 빼기 1

Creative to Math

# 응용연산 : 상위권으로 가는 문제해결 연산 학습지

요즘 아이들은 초등학교 입학 전에 연산 문제집 한 권 정도는 풀어본 경험이 있습니다. 어릴 때부터 연산 문제를 많이 풀었기 때문에 아이들은 아직 학교에서 배우지 않은 계산 문제를 슥슥 풀어서 부모님들을 흐뭇하게 만들기도 합니다. 그런데 아이들의 연산 능력은 날로 높아지지만 수학 실력은 과거에 비해 그다지 늘지 않은 것 같습니다. 사실 진짜 수학 실력은 연산 문제나 사고력 수학 문제를 주로 푸는 초등 저학년 때는 잘 드러나지 않습니다. 응용 문제를 본격적으로 풀기 시작하는 초등 3, 4학년이 되어서야 아이의 수학 실력을 판별할 수 있습니다.

초등 수학에서 연산이 가장 중요한 것은 부정할 수 없는 사실입니다. 중학생, 고등학생이 되어서 부족한 연산 능력을 키우는 것은 거의 불가능합니다. 이러한 연산의 특수성 때문에 아이들은 어린 나이부터 연산을 반복적으로 연습하여 실력을 키우려고 합니다. 이렇게 열심히 연산을 공부하는데도 왜 어떤 아이들은 수학 문제를 잘 풀지 못하는 것일까요? 그 이유는 현재 연산 학습의 목적이 단지 '계산을 잘 하는 것'이 되어버렸기 때문입니다. 연산은 연산 자체가 목적이 될 수 없으며 수학의 진짜 목표인 문제를 잘 풀기 위한 수단으로 연산을 학습해야 합니다.

과거 초등 수학 교과서의 연산 단원은 ① 원리와 연습 ② 문장제 활용의 단순한 구성이었습니다만 요즘의 교과서는 많이 달라졌습니다. 원리와 연습은 그대로이거나 조금 줄었지만 연산을 응용하는 방식은 좀 더 다양해졌습니다. 계산 능력의 향상만을 꾀하는 것이 아니라 여러 가지 퍼즐이나 수학적 상황 등을 해결할 수 있는 '응용력'에 초점을 맞추고 있다는 것을 보여주는 변화입니다. 따라서 저희는 연산 학습지도 원리나 연습 위주에서 벗어나 실제 문제를 해결할 수 있는 능력에 포인트를 맞추어야 한다고 생각합니다.

'연산은 잘 하는데 수학 문제는 왜 못 풀까요?'에 대한 대답이자 대안으로 저희는 「응용연산」이라는 새로운 컨셉의 연산 학습지를 만들었습니다. 연산 원리를 이해하고 연습하는 것에 그치지 않고, 익힌 것을 활용하는 방법을 바로 보여줄 수 있어야 아이들이 수학 문제에 연산을 효과적으로 적용할 수 있습니다. 연습은 꼭 필요한 만큼만 하고, 더 중요한 응용 문제에 바로 도전함으로써 연산과 문제 해결이 단절되지 않게 하는 것이 「응용연산」에서 기대하는 가장 큰 목표입니다.

「응용연산」을 통해 아이들이 왜 연산을 해야 하는지 스스로 느낄 수 있을 것이라 자신합니다. 이제 연산은 '원리'나 '연습'이 아닌 스스로 문제를 해결할 수 있는 '응용력'입니다.

# 응용연산의 구성과 특징

- 매일 부담없이 4쪽씩 연산 학습
- 매주 4일간 단계별 연산 학습과 응용 문제를 통한 연산 실력 확인
- 매주 1일 형성평가로 테스트 및 복습

## 주차별 구성

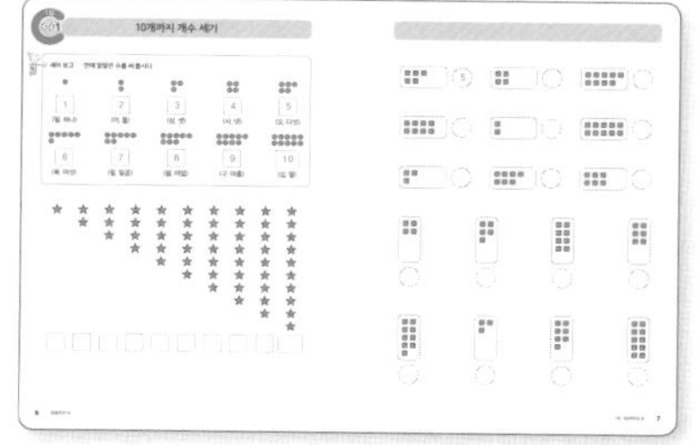


### 원리연산

대표 문제를 통해 학습하는 매일 새로운 단계별 연산 학습

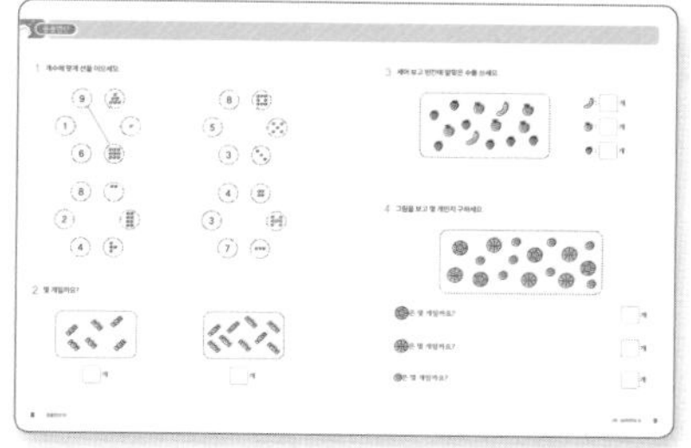

### 응용연산

기본 문제와 응용 문제를 통한 응용력과 문제해결력 증진

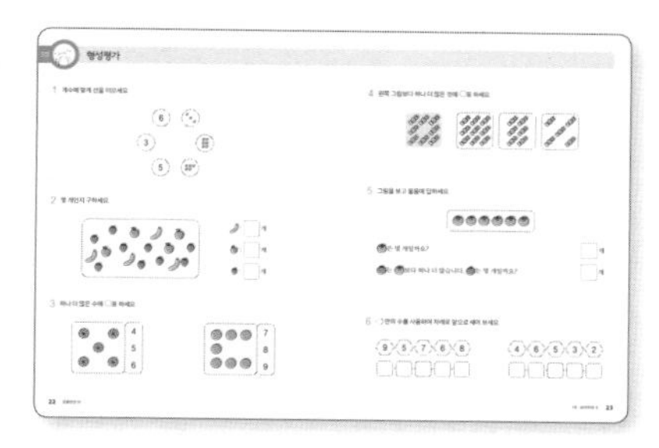


### 형성평가

가장 중요한 유형을 다시 한번 복습하며 주차 학습 마무리

| | 1일 | 2일 | 3일 | 4일 | 5일 |
|---|---|---|---|---|---|
| 1주차 | 6쪽 ~ 9쪽 | 10쪽 ~ 13쪽 | 14쪽 ~ 17쪽 | 18쪽 ~21쪽 | 22쪽 ~ 24쪽 |
| 2주차 | 26쪽 ~ 29쪽 | 30쪽 ~ 33쪽 | 34쪽 ~ 37쪽 | 38쪽 ~41쪽 | 42쪽 ~ 44쪽 |
| 3주차 | 46쪽 ~ 49쪽 | 50쪽 ~ 53쪽 | 54쪽 ~ 57쪽 | 58쪽 ~61쪽 | 62쪽 ~ 64쪽 |
| 4주차 | 66쪽 ~ 69쪽 | 70쪽 ~ 73쪽 | 74쪽 ~ 77쪽 | 78쪽 ~81쪽 | 82쪽 ~ 84쪽 |

## 정답 및 해설

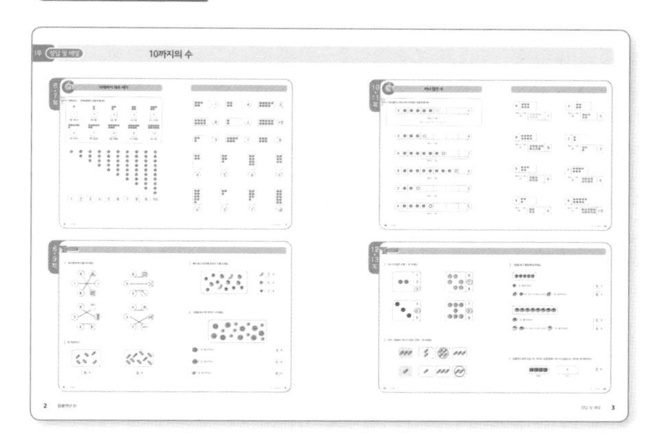


문제와 답을 한눈에 볼 수 있습니다.

# 이 책의 차례

# 10까지의 수

10까지의 수 세기, 순서, 크기 비교

# 10개까지 개수 세기

세어 보고 □ 안에 알맞은 수를 써 봅시다.

| ● | ●● | ●●● | ●●●● | ●●●●● |
|---|---|---|---|---|
| 1 | 2 | 3 | 4 | 5 |
| (일, 하나) | (이, 둘) | (삼, 셋) | (사, 넷) | (오, 다섯) |

| ●●●●●● | ●●●●●●● | ●●●●●●●● | ●●●●●●●●● | ●●●●●●●●●● |
|---|---|---|---|---|
| 6 | 7 | 8 | 9 | 10 |
| (육, 여섯) | (칠, 일곱) | (팔, 여덟) | (구, 아홉) | (십, 열) |

| ★ | ★★ | ★★★ | ★★★★ | ★★★★★ | ★★★★★★ | ★★★★★★★ | ★★★★★★★★ | ★★★★★★★★★ | ★★★★★★★★★★ |
|---|---|---|---|---|---|---|---|---|---|
| □ | □ | □ | □ | □ | □ | □ | □ | □ | □ |

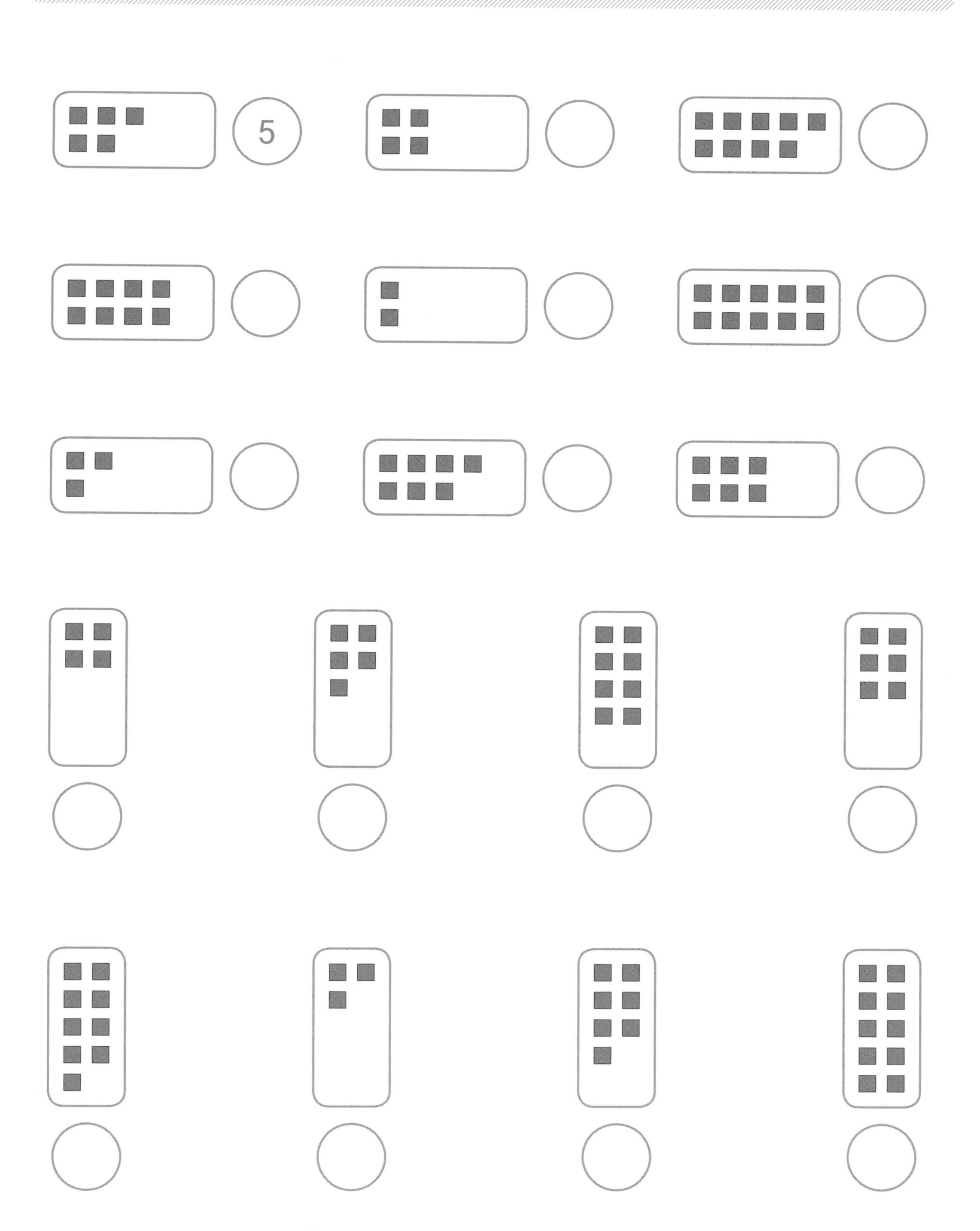
5

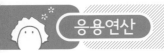

1 개수에 맞게 선을 이으세요.

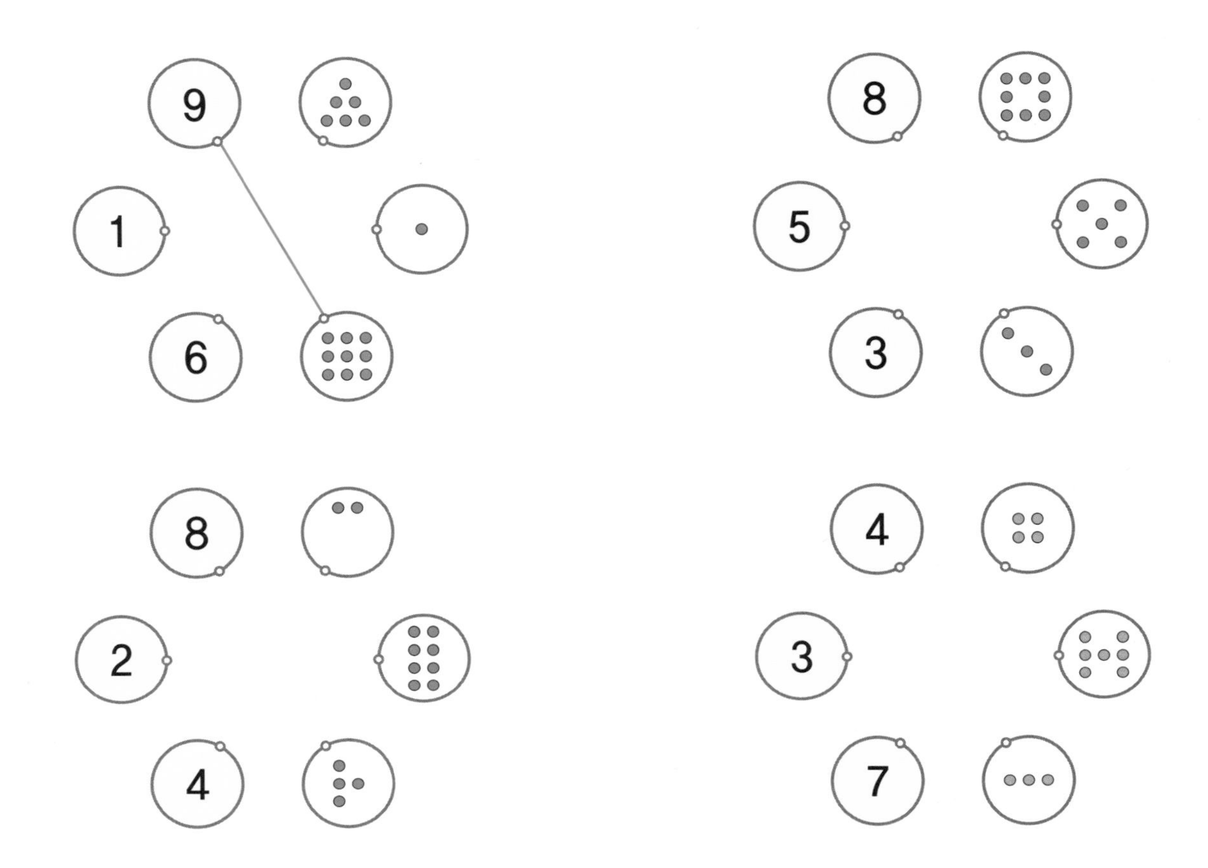


2 몇 개일까요?

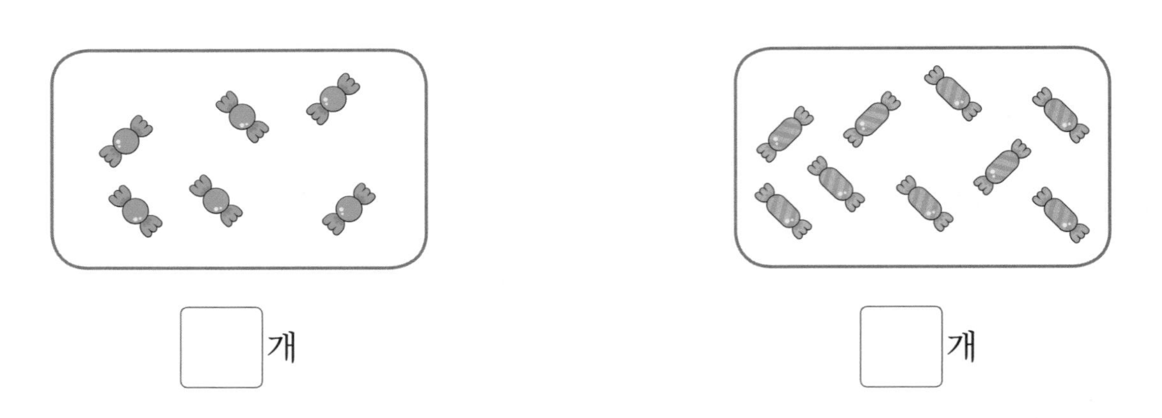

개

개

3 세어 보고 빈칸에 알맞은 수를 쓰세요.

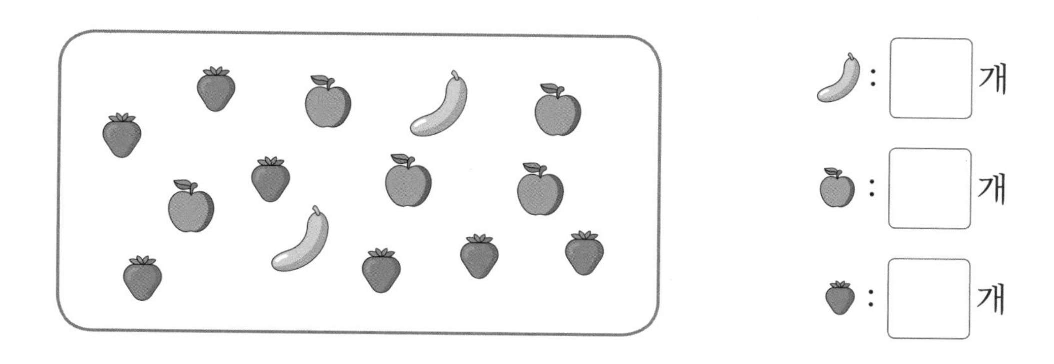

: □ 개

: □ 개

: □ 개

4 그림을 보고 몇 개인지 구하세요.

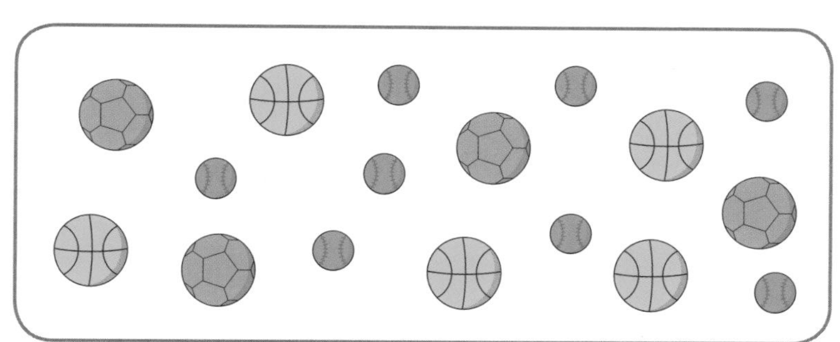

은 몇 개일까요? □ 개

은 몇 개일까요? □ 개

은 몇 개일까요? □ 개

# 하나 많은 수

개념원리

하나를 더 그리고 하나 더 많은 수를 써 봅시다.

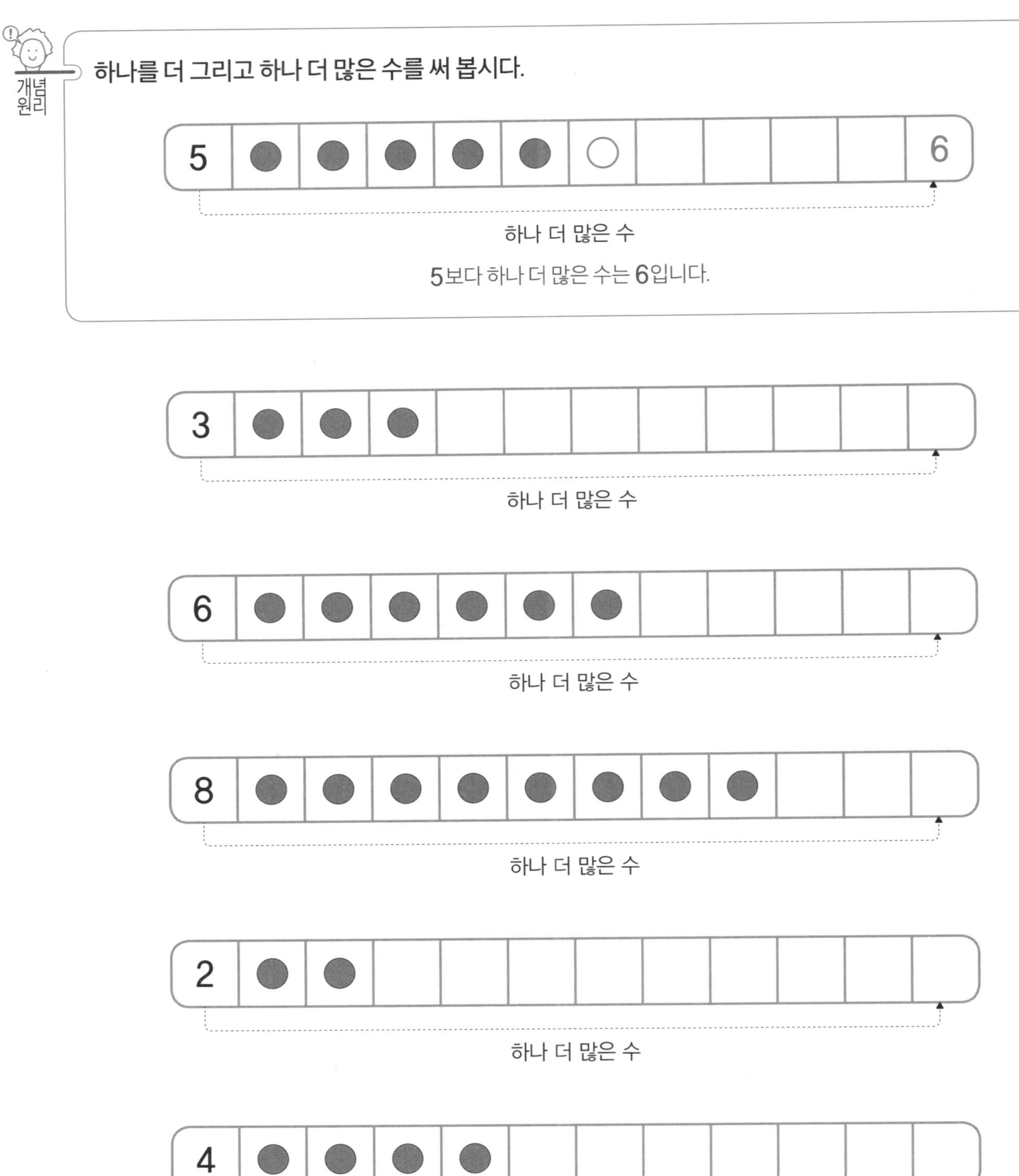

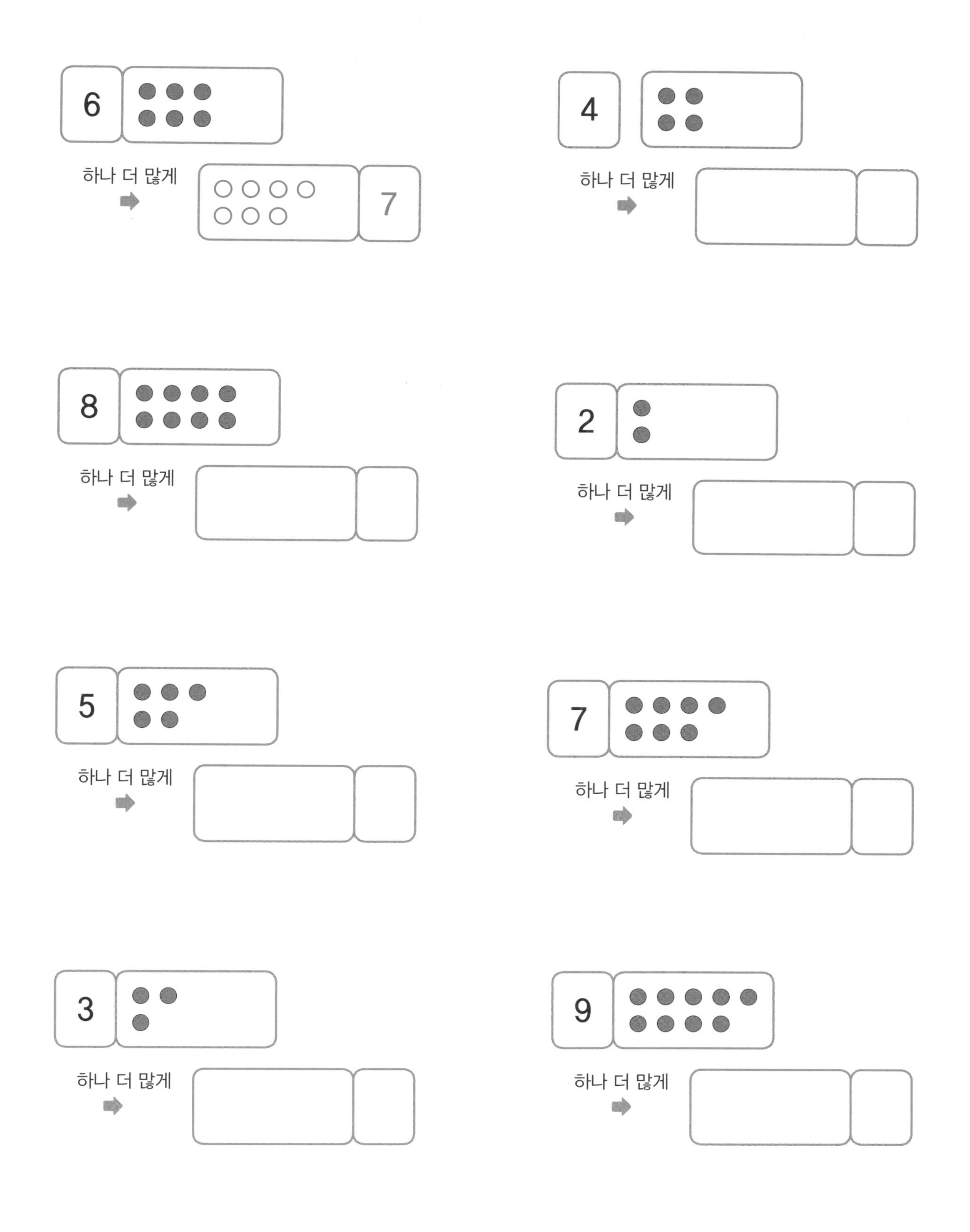
6
하나 더 많게
7
4
하나 더 많게
8
하나 더 많게
2
하나 더 많게
5
하나 더 많게
7
하나 더 많게
3
하나 더 많게
9
하나 더 많게

1 하나 더 많은 수에 ◯표 하세요.

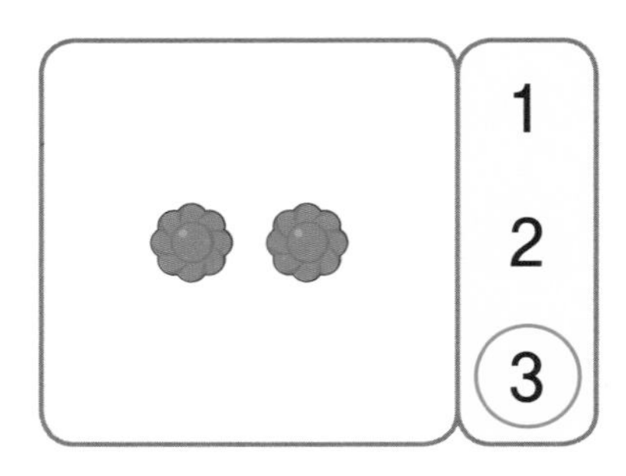

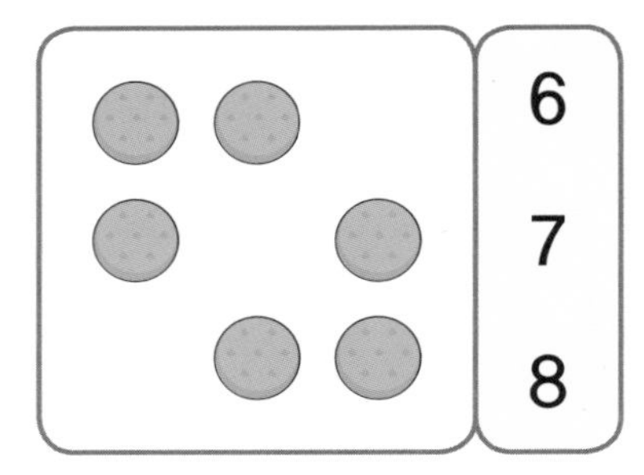

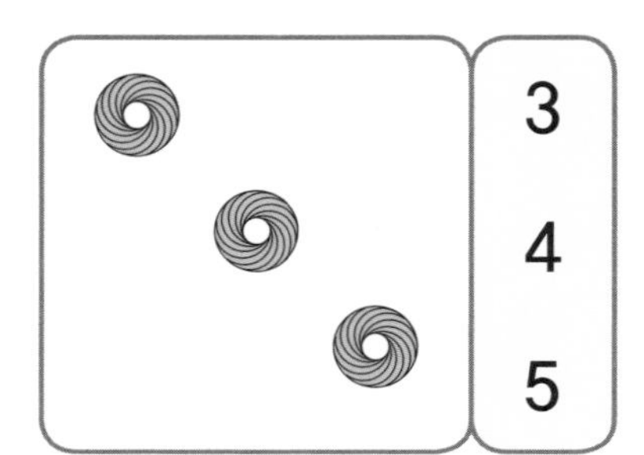

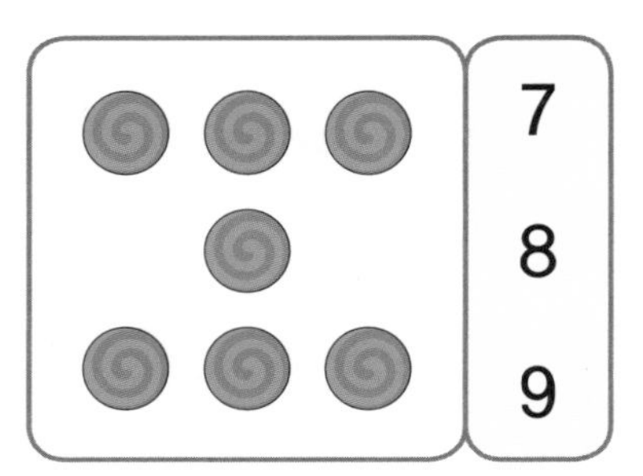

2 왼쪽 그림보다 하나 더 많은 것에 ◯표 하세요.

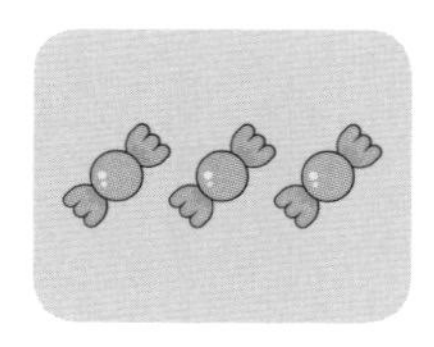
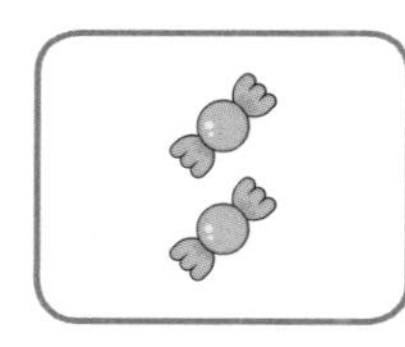
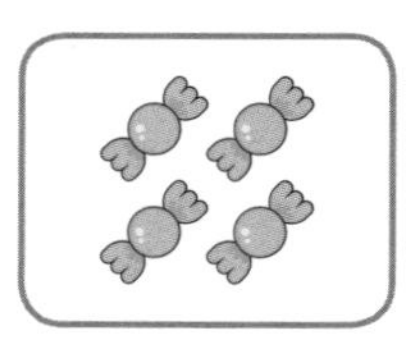
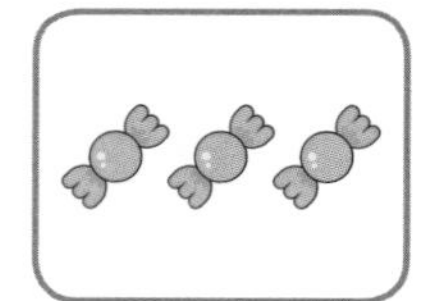

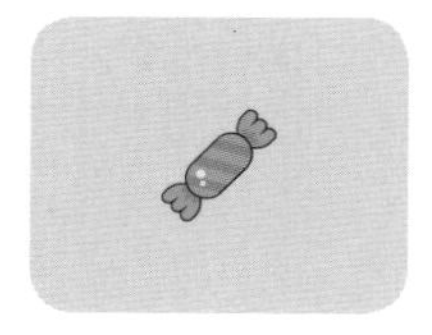

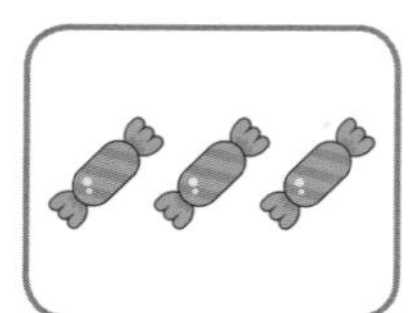
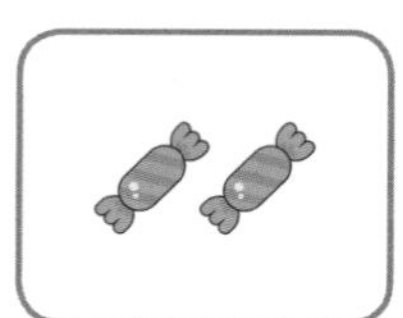

3 그림을 보고 물음에 답하세요.

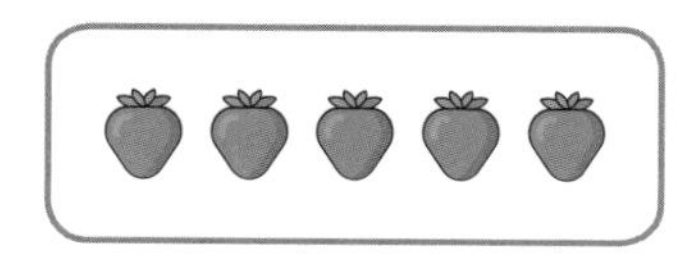

는 몇 개일까요? □개

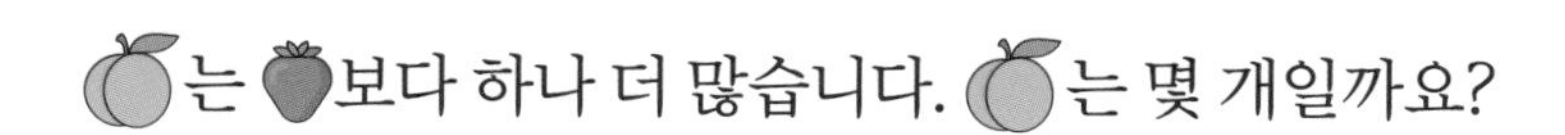

는 보다 하나 더 많습니다. 는 몇 개일까요? 

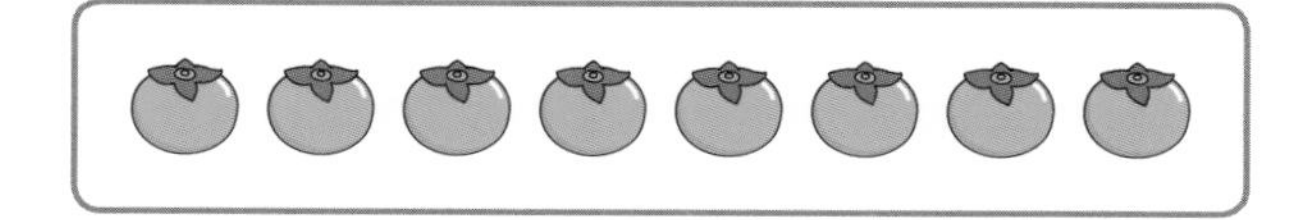

은 몇 개일까요? 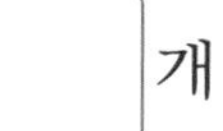

은 보다 하나 더 많습니다. 은 몇 개일까요? □개

4 초콜릿이 **4**개 있습니다. 쿠키는 초콜릿보다 하나 더 많습니다. 쿠키는 몇 개일까요?

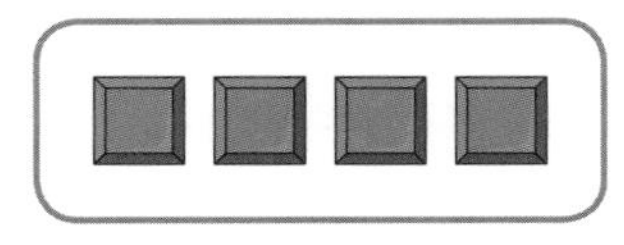

초콜릿

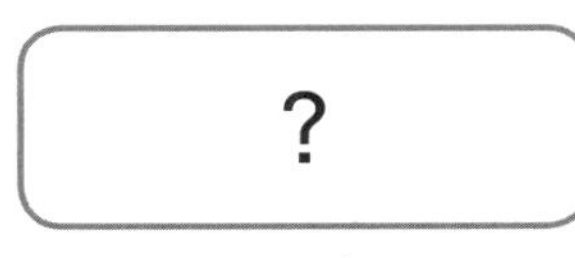


쿠키

□개

# 앞으로 세기

1 부터 앞으로 세어 빈칸에 알맞은 수를 써 봅시다.

1 ➡ 2 ➡ 3 ➡ 4 ➡ 5 ➡ 6 ➡ 7 ➡ 8 ➡ 9 ➡ 10

1 부터 앞으로 세면 '일 이 삼 사 오 육 칠 팔 구 십'입니다.

1 ➡ ☐ ➡ 3 ➡ ☐ ➡ 5 ➡ 6 ➡ 7 ➡ ☐ ➡ 9 ➡ 10

1 ➡ 2 ➡ ☐ ➡ 4 ➡ ☐ ➡ 6 ➡ 7 ➡ 8 ➡ ☐ ➡ 10

1 ➡ ☐ ➡ 3 ➡ 4 ➡ 5 ➡ 6 ➡ ☐ ➡ ☐ ➡ 9 ➡ 10

1 ➡ 2 ➡ ☐ ➡ 4 ➡ 5 ➡ ☐ ➡ 7 ➡ 8 ➡ 9 ➡ ☐

☐ ➡ 2 ➡ 3 ➡ ☐ ➡ 5 ➡ ☐ ➡ 7 ➡ 8 ➡ 9 ➡ 10

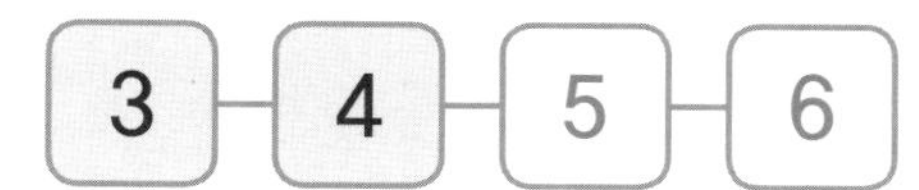


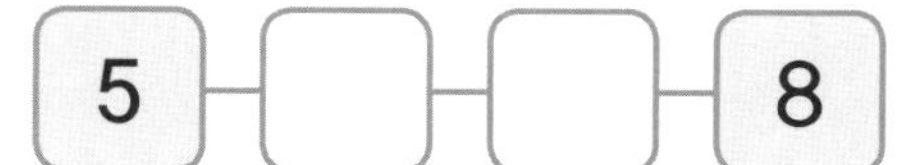


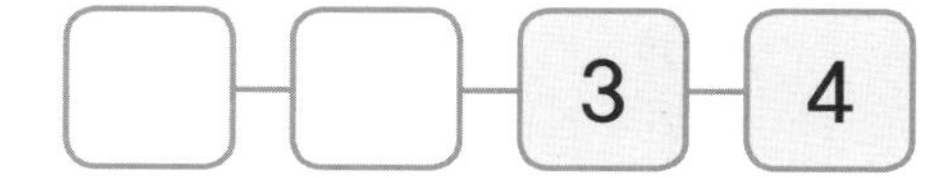


2 — 3 — □ — □

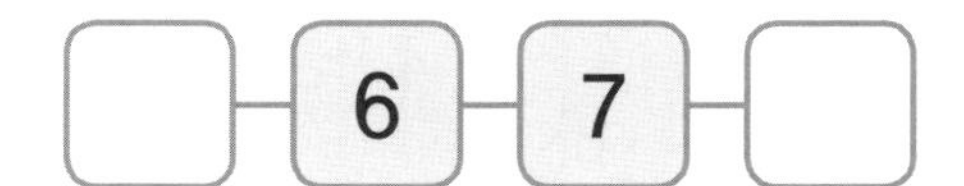


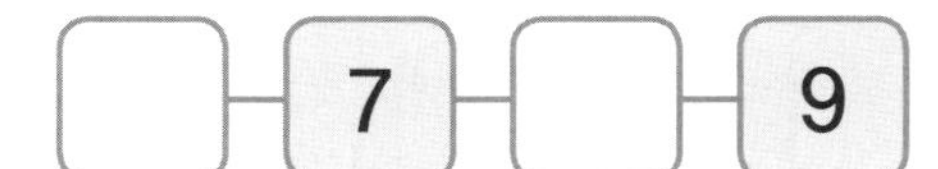


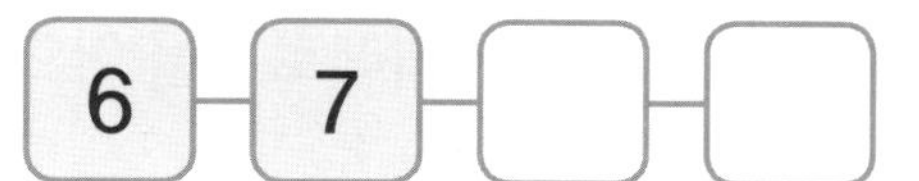


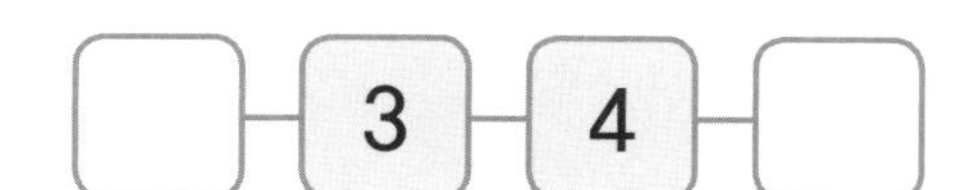


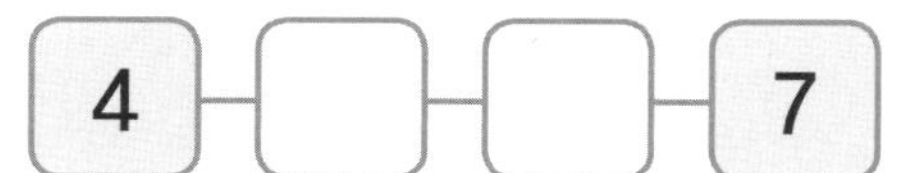


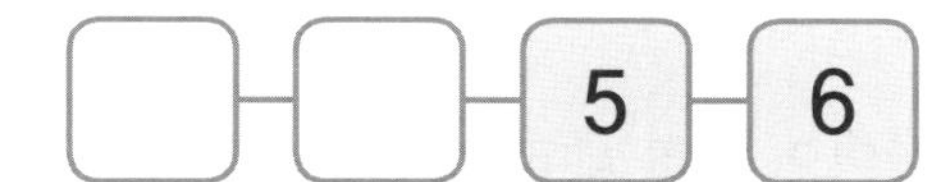


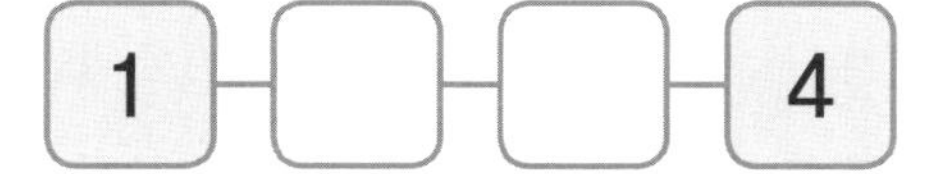


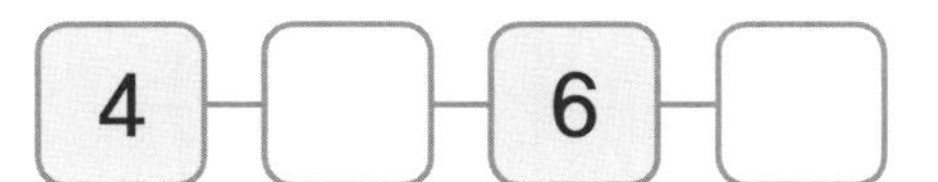

3 — 4 — 5 — 6

 6 — 7 — ☐ — ☐

 5 — ☐ — ☐ — 8

 ☐ — 3 — 4 — ☐

 ☐ — ☐ — 3 — 4

 4 — ☐ — ☐ — 7

☐ — ☐ — 5 — 6

 ☐ — 6 — 7 — ☐

 1 — ☐ — ☐ — 4

☐ — 7 — ☐ — 9

 4 — ☐ — 6 — ☐

1 1부터 앞으로 세어 차례로 선을 이으세요.

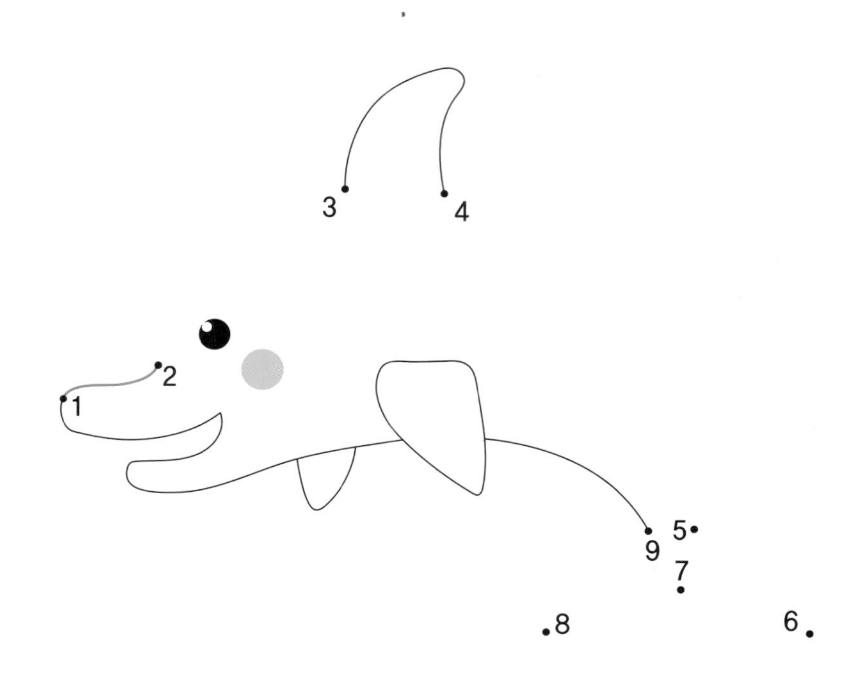


2 ⬡안의 수를 사용하여 차례로 앞으로 세어 보세요.

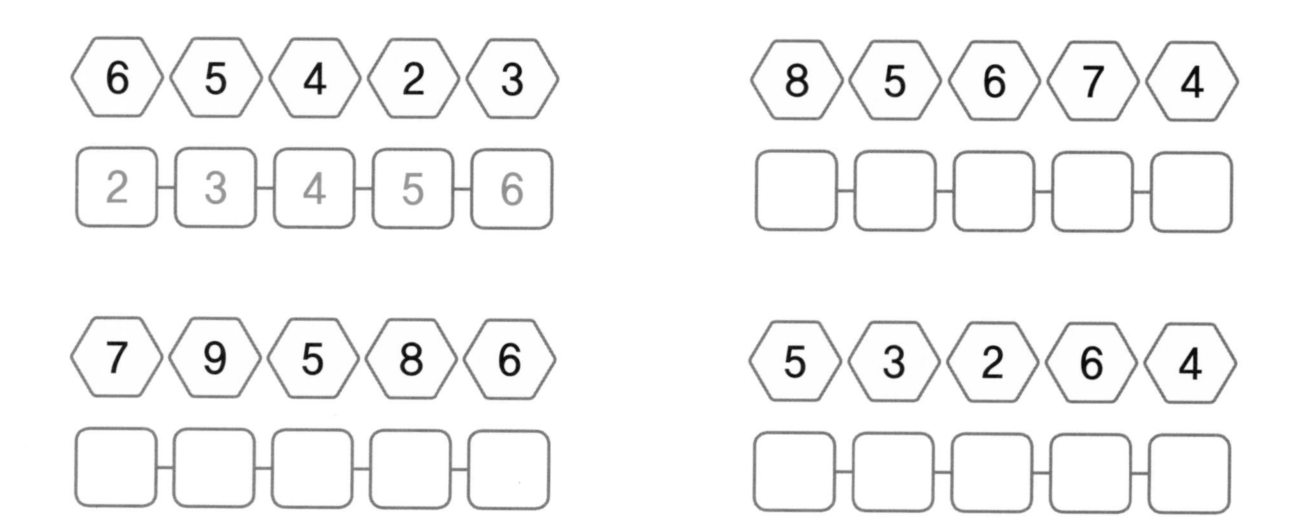

3 앞으로 세어 차례로 이으세요.

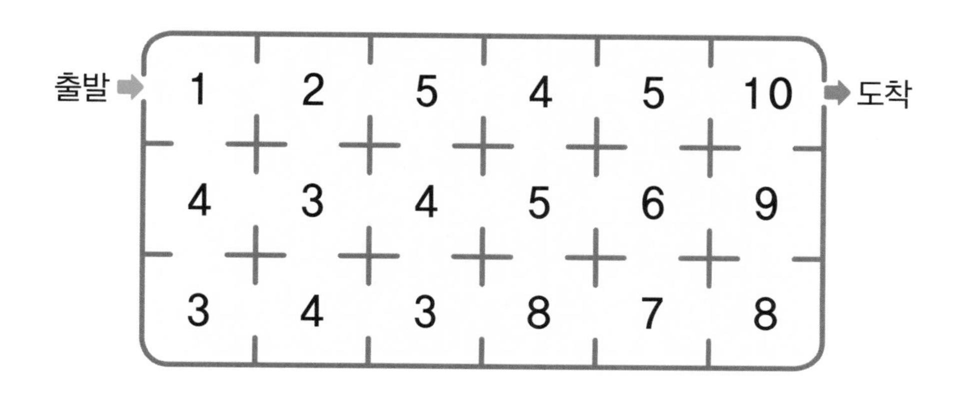


4 앞으로 세었습니다. 6 다음 수에 ◯표 하고 수를 쓰세요.

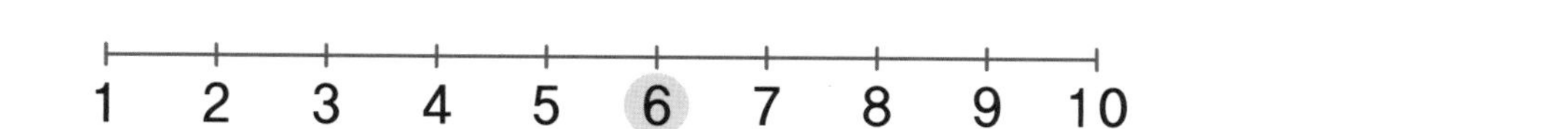


5 앞으로 셀 때 4 다음 수는 얼마일까요?

6 1부터 앞으로 5번 세었습니다. 마지막에 센 수는 얼마일까요?

1

1번 2번 3번 4번 5번

# 1 큰 수

개념원리

● 안의 수 다음 수에 ◯표 하고 1 큰 수를 써 봅시다.

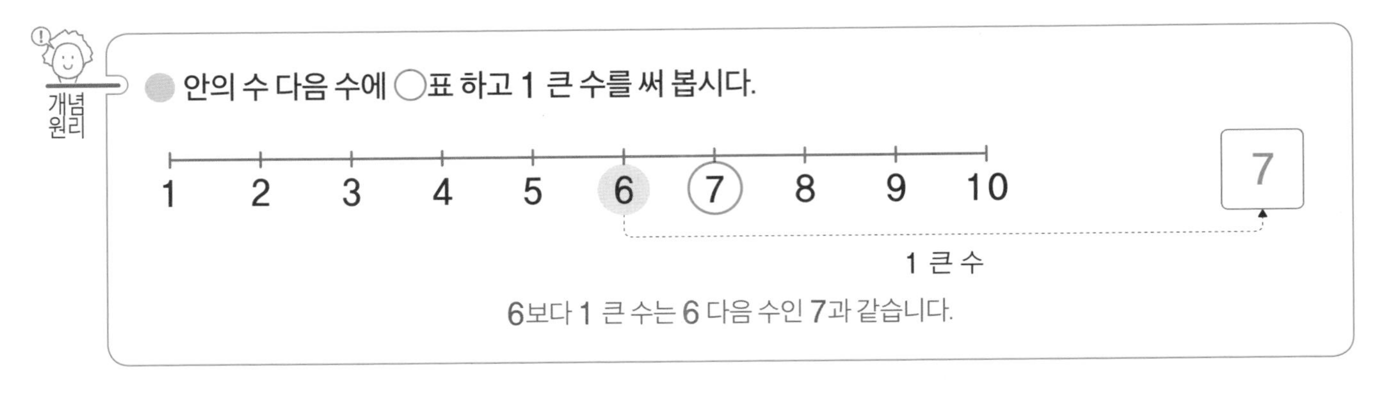


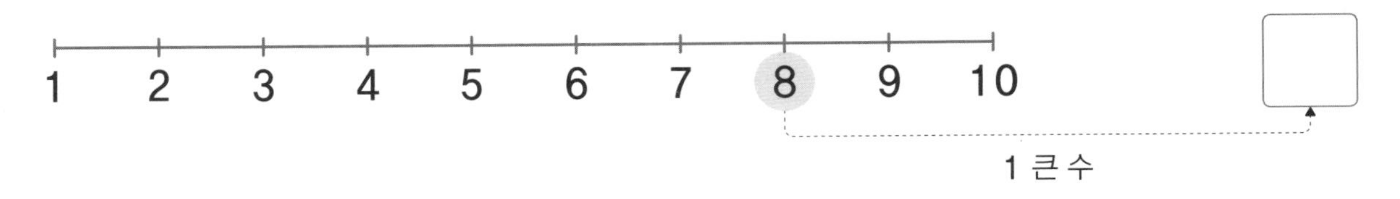


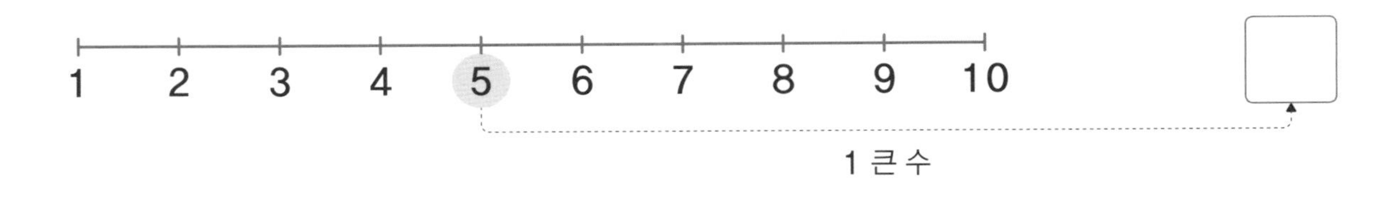


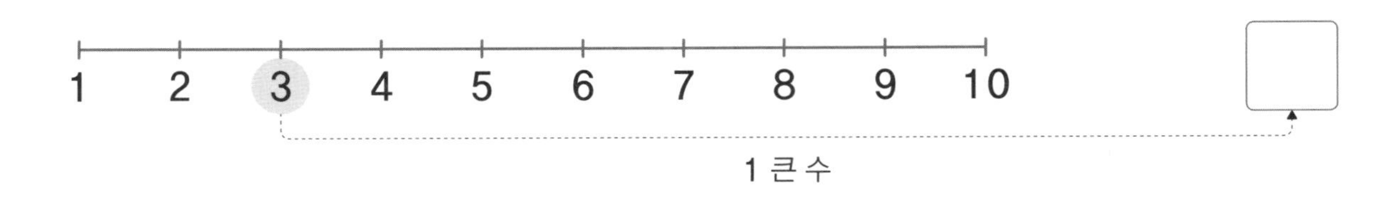


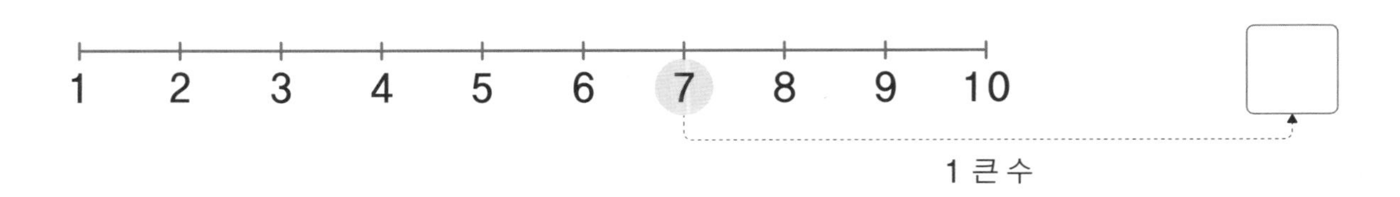

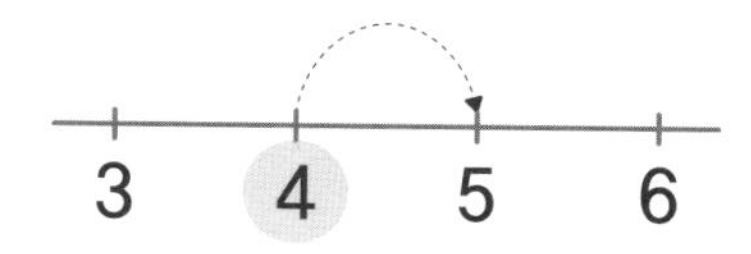

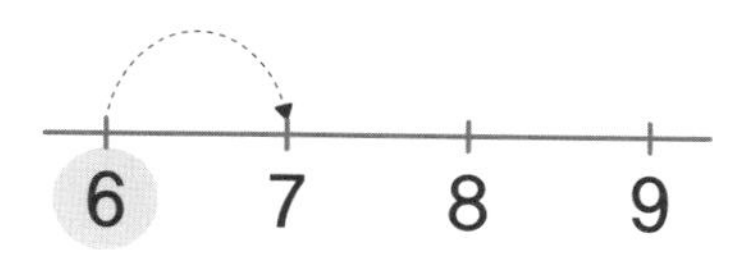


6 → 1 큰 수 □

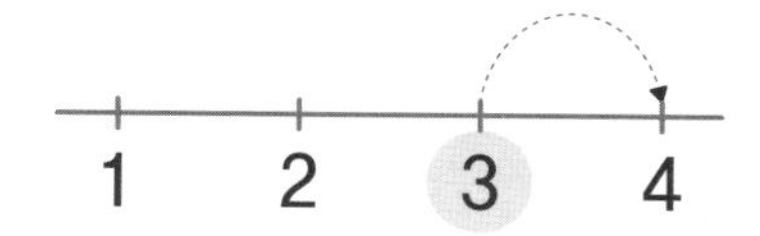


3 → 1 큰 수 □

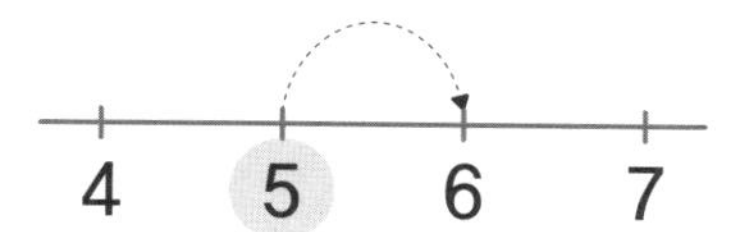


5 → 1 큰 수 □

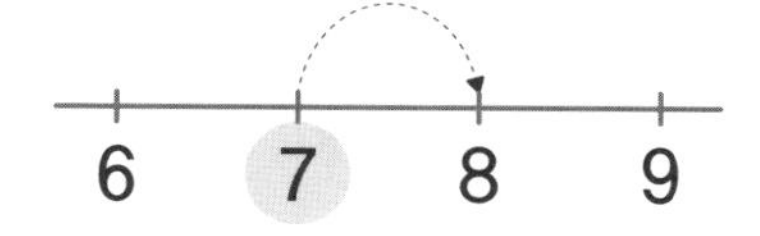


7 → 1 큰 수 □

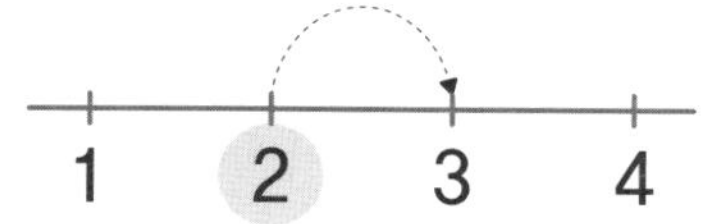


2 → 1 큰 수 □

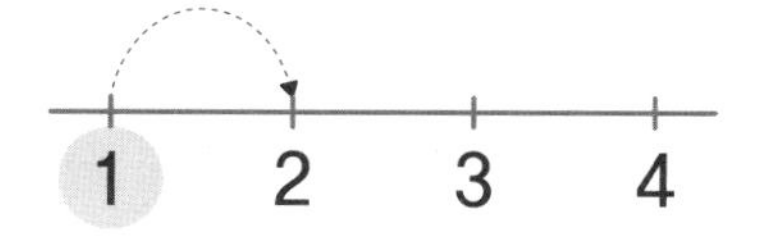


1 → 1 큰 수 □

7 8 9 10

9 → 1 큰 수 □

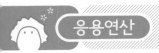

1 1 큰 수를 찾아 선으로 이으세요.

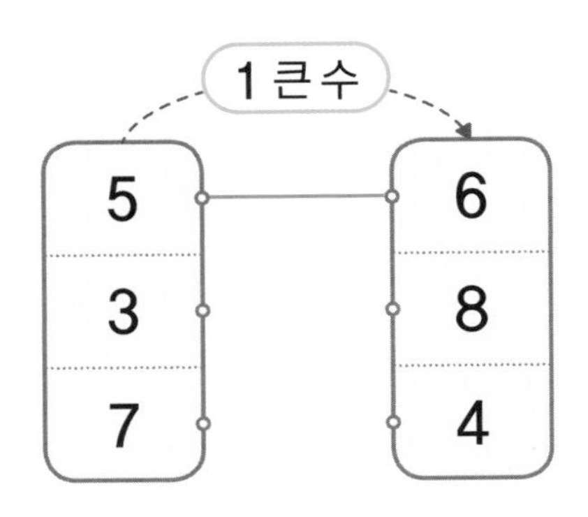


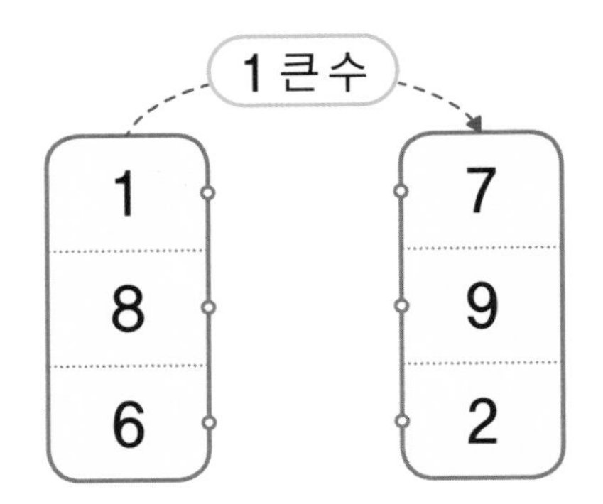


2 ● 안의 수보다 1 큰 수를 찾아 선으로 연결하세요.

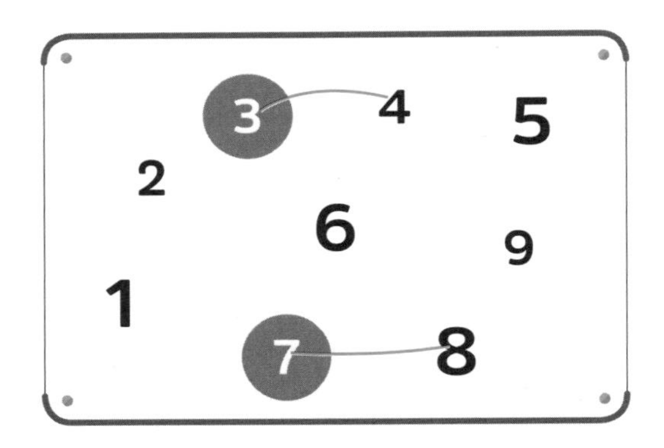


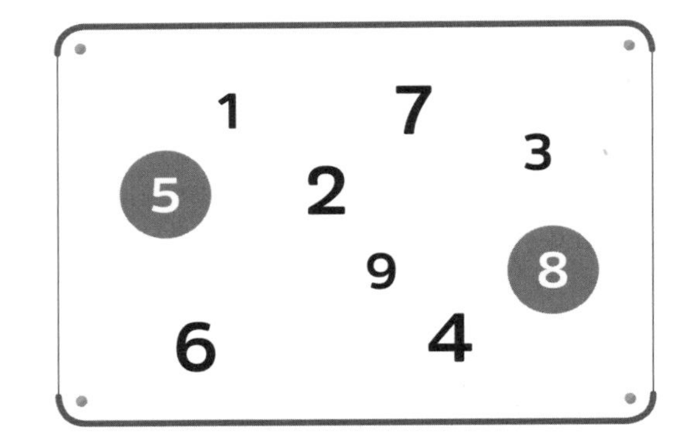


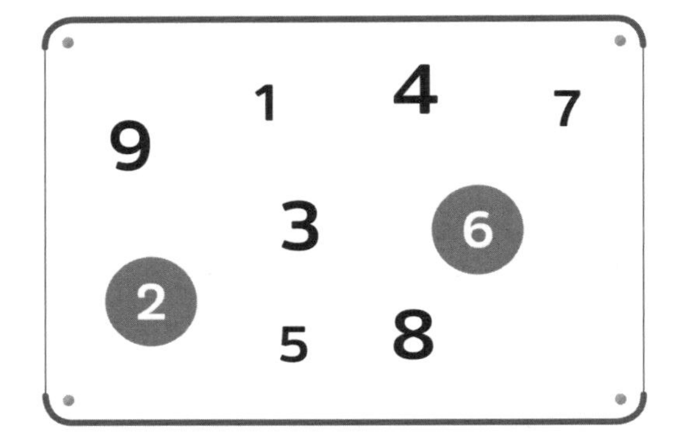


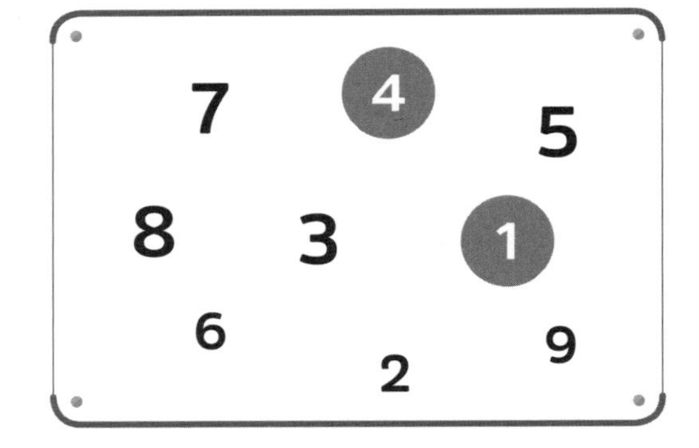

3 알맞은 것을 찾아 선으로 이으세요.

| | | | |
|---|---|---|---|
| 5보다 1 큰 수 | 3 | 8보다 1 큰 수 | 4 |
| 2보다 1 큰 수 | 5 | 6보다 1 큰 수 | 9 |
| 4보다 1 큰 수 | 6 | 3보다 1 큰 수 | 7 |

4 빈칸에 알맞은 수를 쓰세요.

6보다 1 큰 수는 □ 입니다.

□ 보다 1 큰 수는 8입니다.

8보다 1 큰 수는 □ 입니다.

2보다 □ 큰 수는 3입니다.

5 9보다 1 큰 수는 얼마일까요? □

# 형성평가

1 개수에 맞게 선을 이으세요.

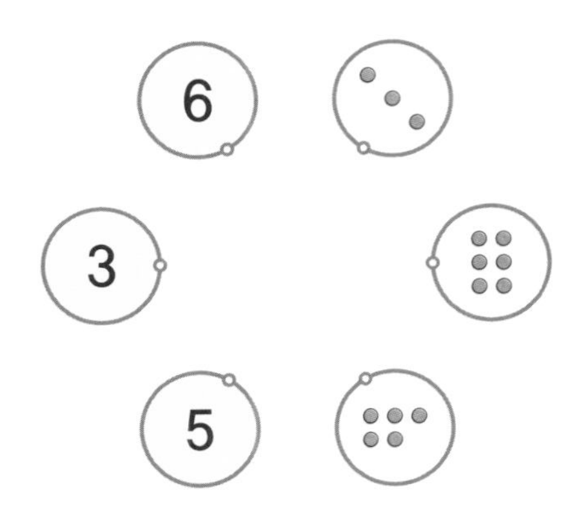


2 몇 개인지 구하세요.

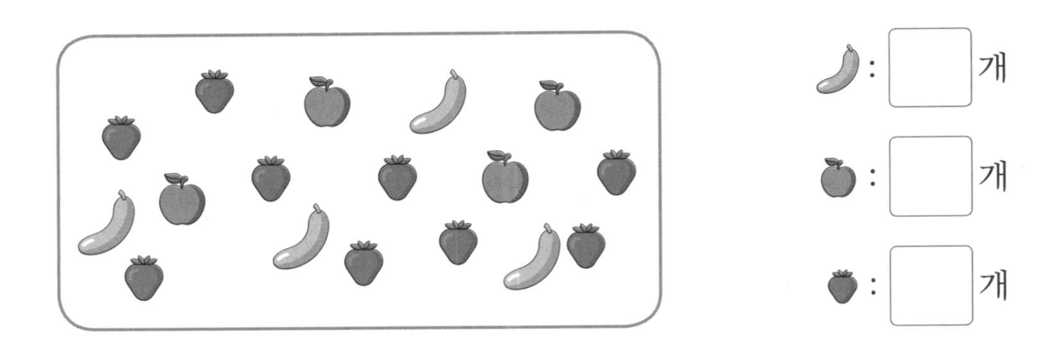

: □ 개

: □ 개

: □ 개

3 하나 더 많은 수에 ○표 하세요.

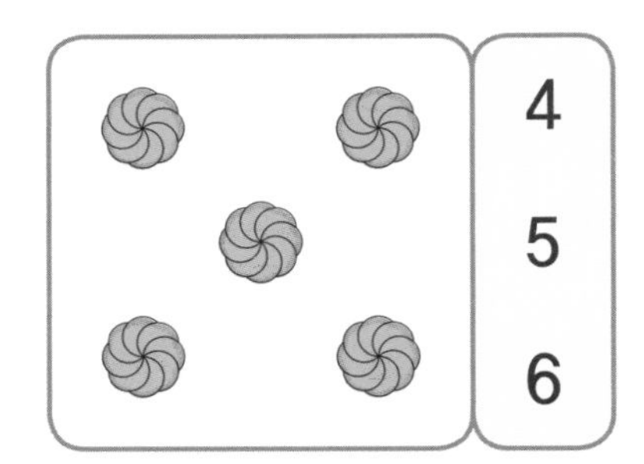


7
8
9

4 왼쪽 그림보다 하나 더 많은 것에 ◯표 하세요.

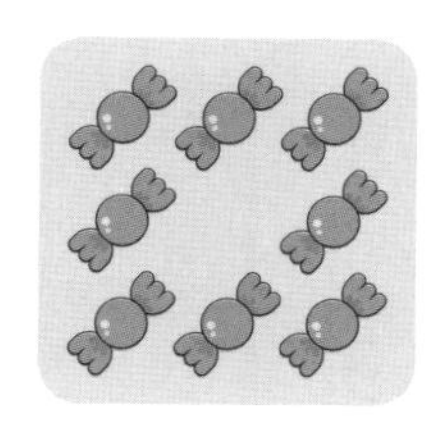
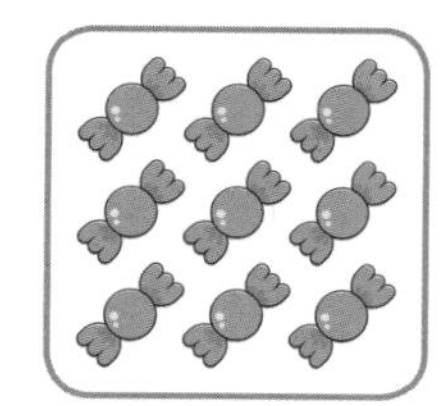
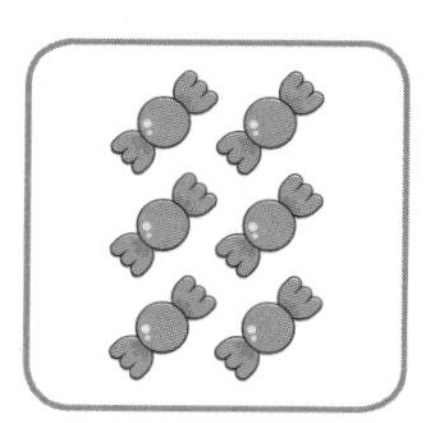
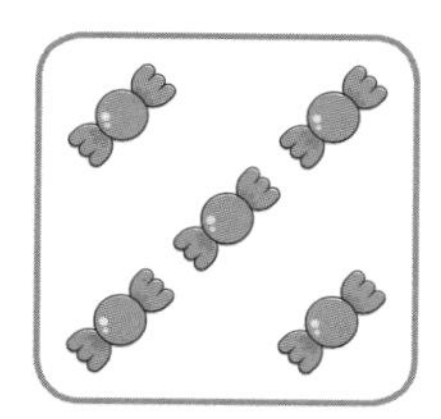

5 그림을 보고 물음에 답하세요.

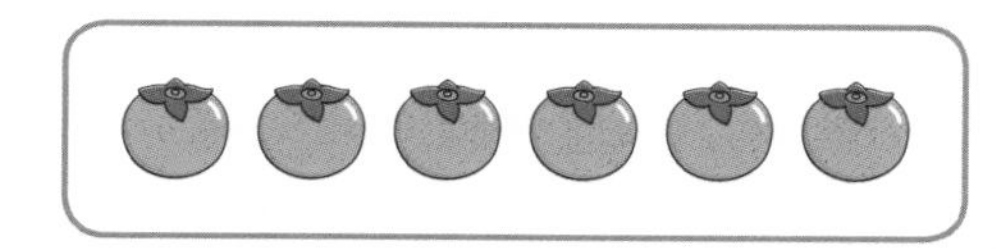

은 몇 개일까요? □개

는 보다 하나 더 많습니다. 는 몇 개일까요? □개

6 ⬡ 안의 수를 사용하여 차례로 앞으로 세어 보세요.

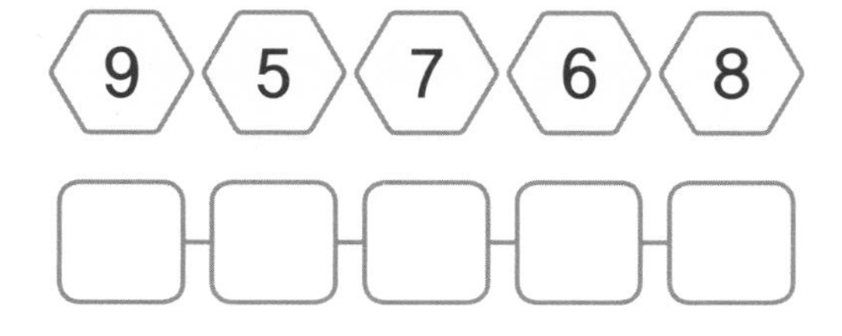


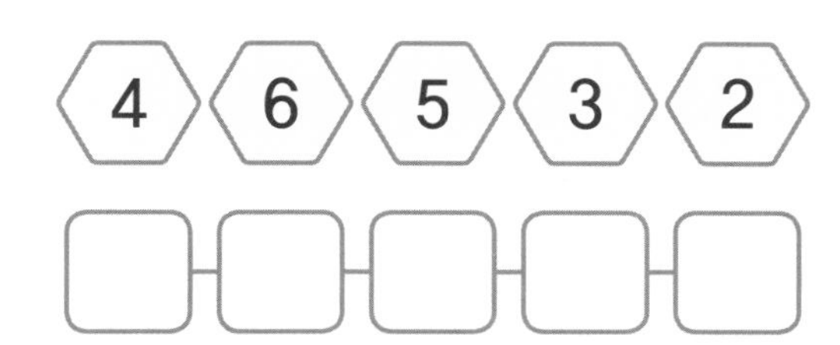

7 앞으로 세어 차례로 이으세요.

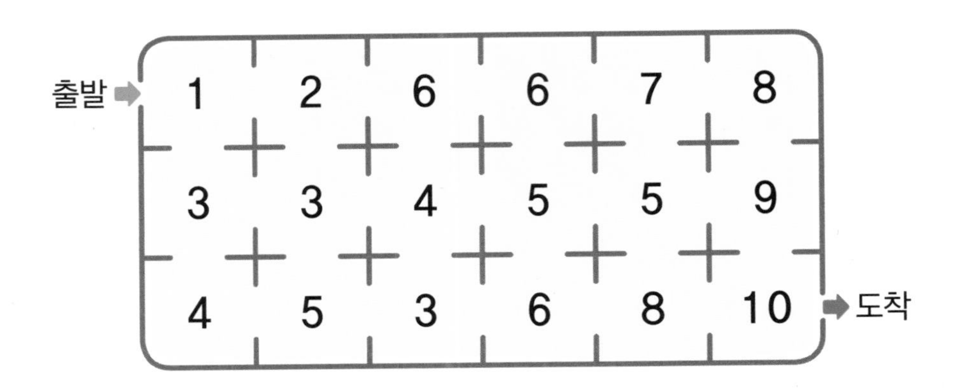


8 ● 안의 수보다 1 큰 수를 쓰세요.

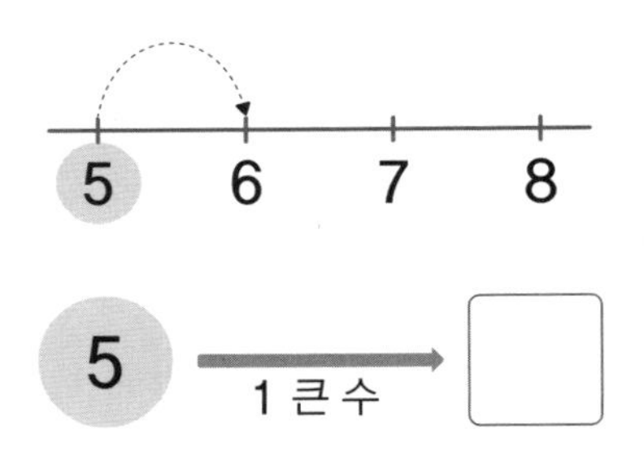


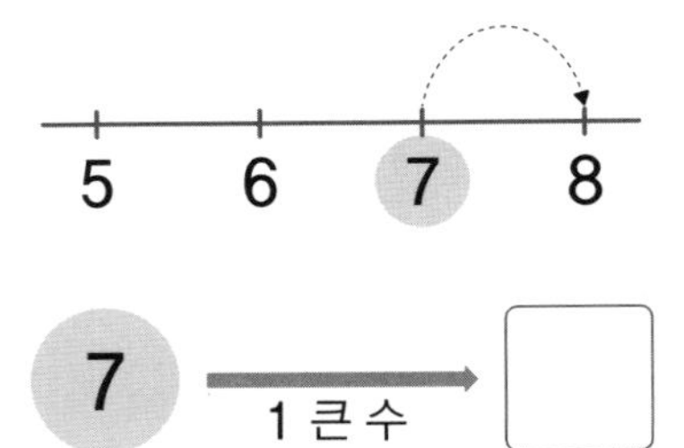


9 빈칸에 알맞은 수를 쓰세요.

4보다 1 큰 수는 ☐ 입니다.

☐ 보다 1 큰 수는 9입니다.

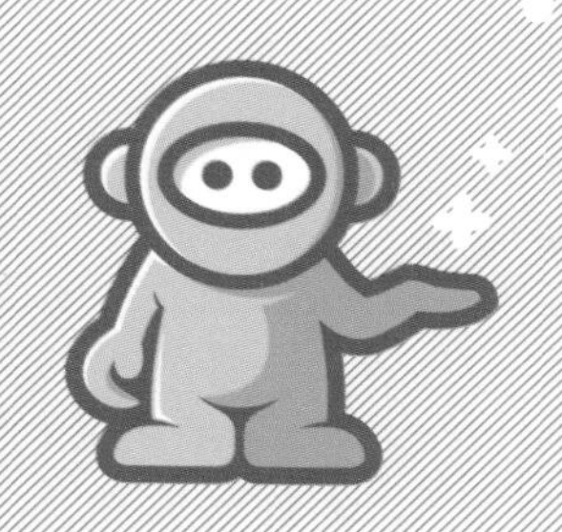

# 더하기

## 더하는 수가 1인 한 자리 수의 덧셈

# 더하기 1

더하기 1을 해 봅시다.

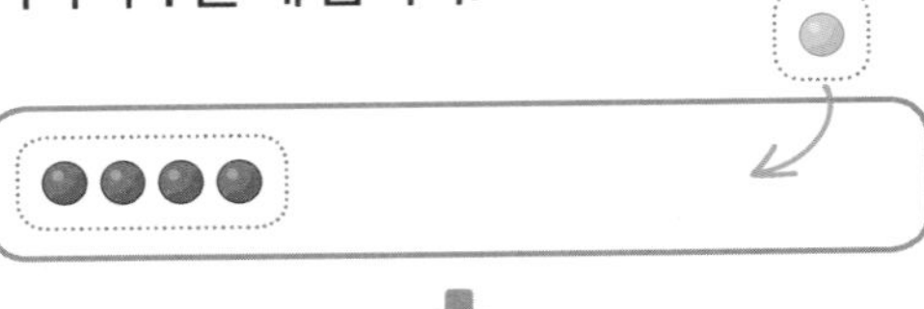

$4+1=$ 5

구슬 4개에 1개를 더 넣으면 5개가 됩니다.

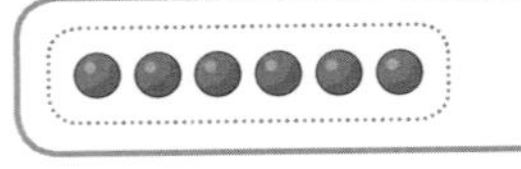

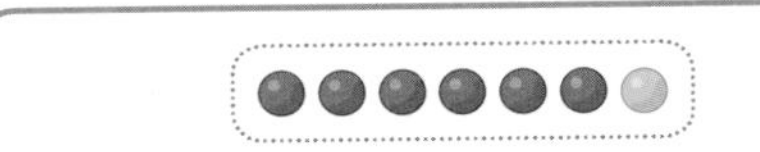

$6+1=$ 7

구슬 6개와 1개를 더하면 7개가 됩니다.

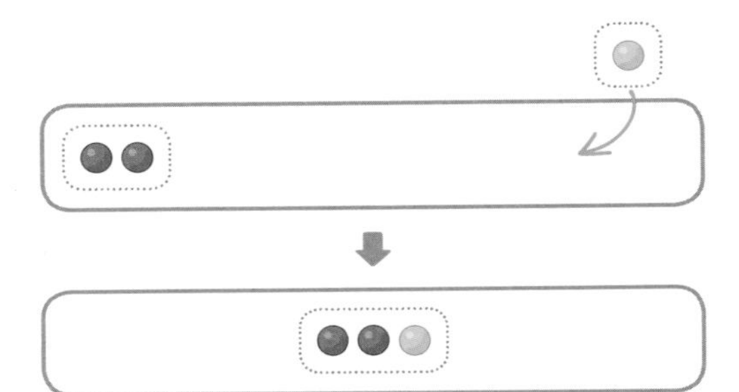

$2+1=$ □

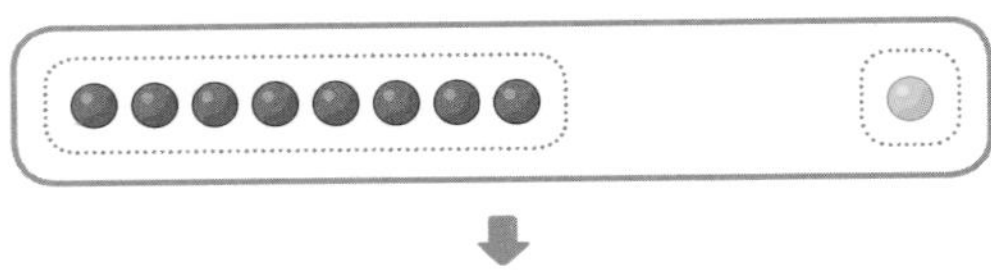

$8+1=$ □

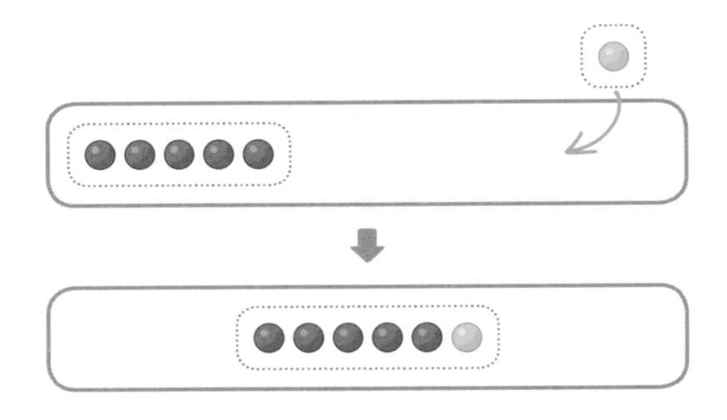

$5+1=$ □

$3+1=$ □

$8 + 1 = \square$

$7 + 1 = \square$

$5 + 1 = \square$

$2 + 1 = \square$

$4 + 1 = \square$

$9 + 1 = \square$

$1 + 1 = \square$

$3 + 1 = \square$

$6 + 1 = \square$

$$\begin{array}{r} 4 \\ +\ 1 \\ \hline \square \end{array} \quad \begin{array}{r} 8 \\ +\ 1 \\ \hline \square \end{array} \quad \begin{array}{r} 1 \\ +\ 1 \\ \hline \square \end{array} \quad \begin{array}{r} 3 \\ +\ 1 \\ \hline \square \end{array}$$

$$\begin{array}{r} 5 \\ +\ 1 \\ \hline \square \end{array} \quad \begin{array}{r} 2 \\ +\ 1 \\ \hline \square \end{array} \quad \begin{array}{r} 7 \\ +\ 1 \\ \hline \square \end{array} \quad \begin{array}{r} 6 \\ +\ 1 \\ \hline \square \end{array}$$

1 계산을 한 다음 알맞게 선으로 이으세요.

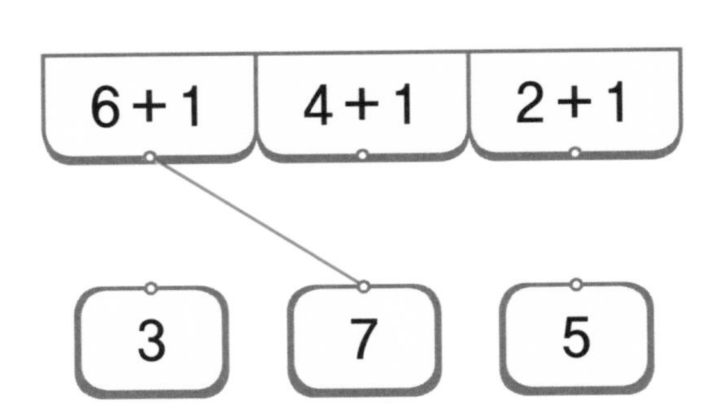


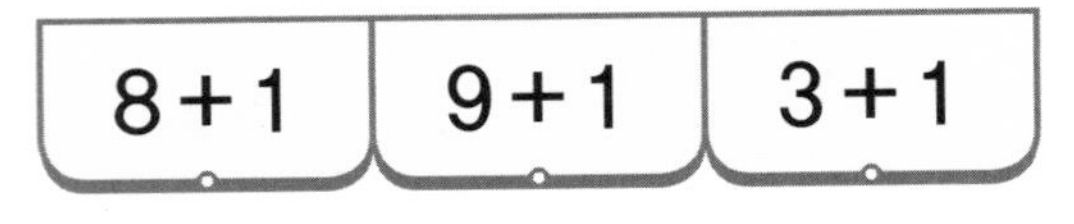


4 10 9

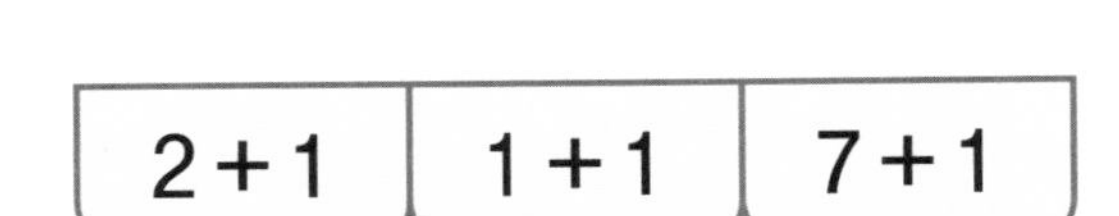


3 2 8

6+1 5+1 4+1

6 5 7

2 계산을 하여 빈 곳에 알맞은 수를 쓰세요.

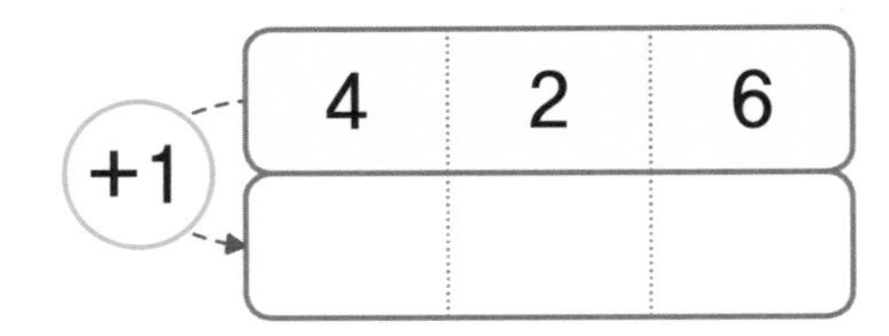


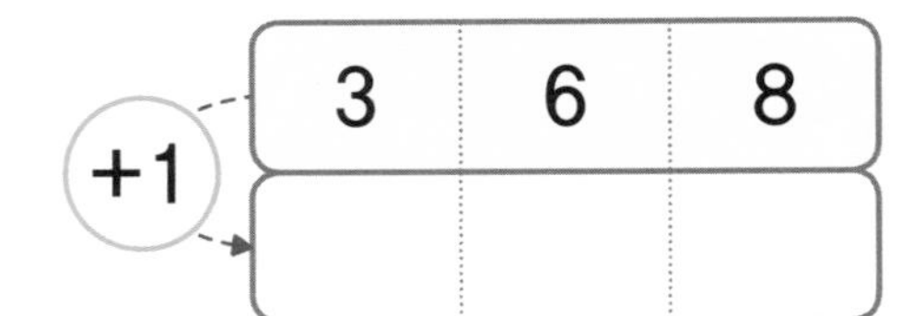


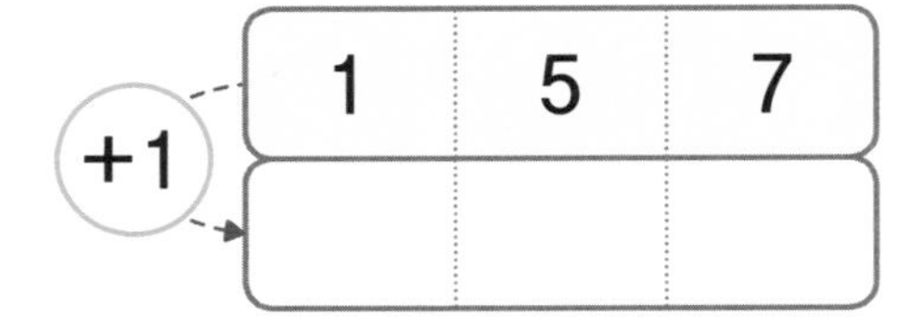


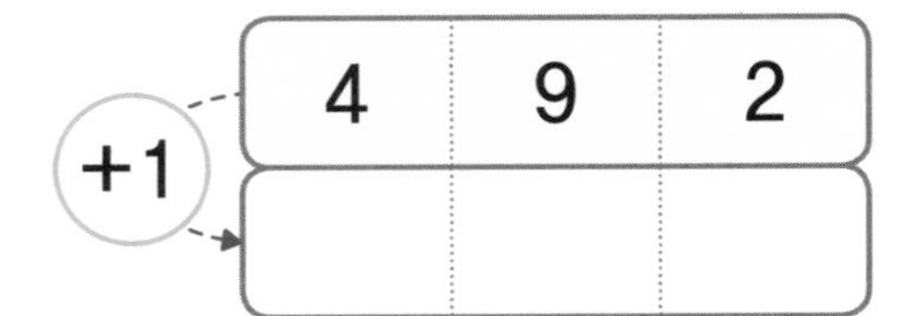

3 그림을 보고 알맞은 덧셈식을 쓰세요.

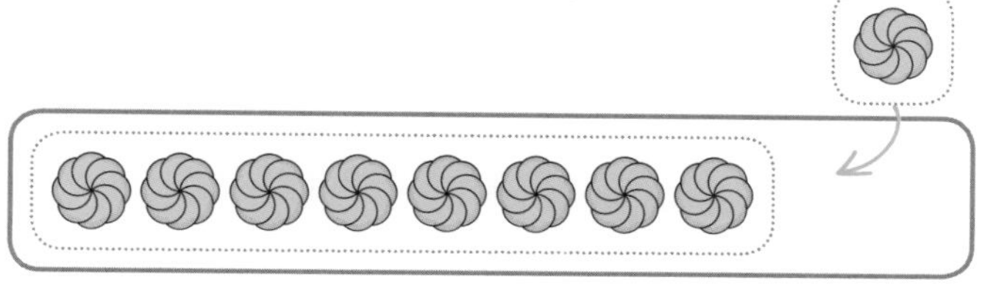

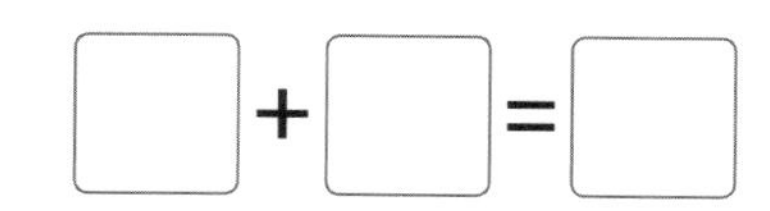

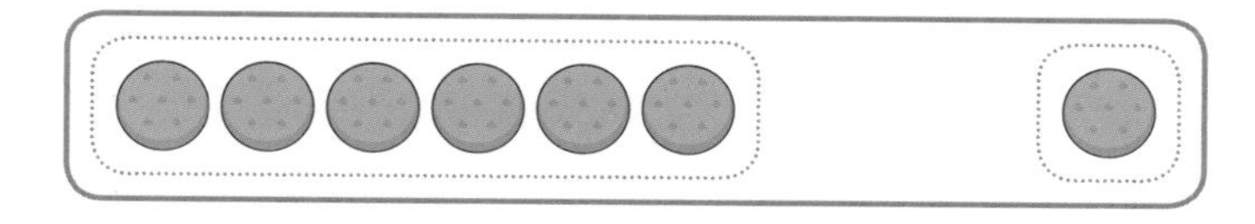

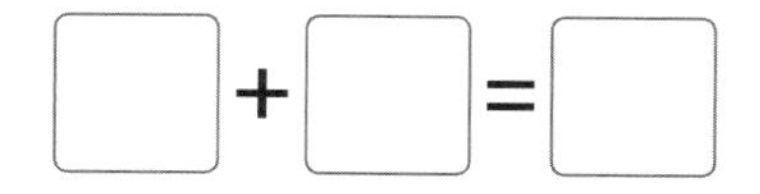

4 토끼와 돼지는 모두 몇 마리일까요?

5 참외와 수박은 모두 몇 개일까요?

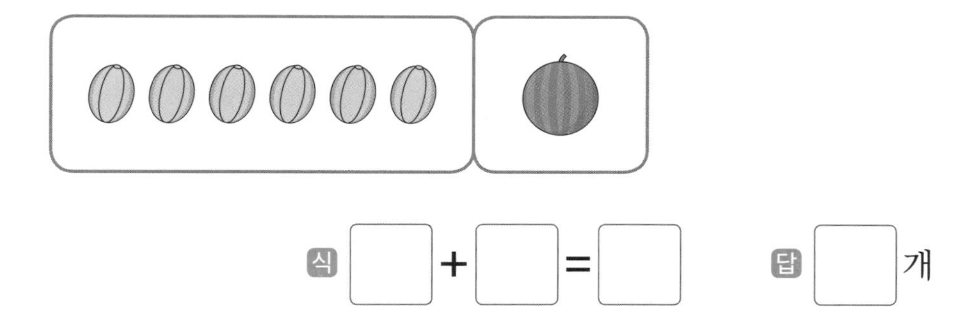

# 1 더하기

덧셈식의 두 수를 바꾸어 더해 봅시다.

$6+1=$ 7

$1+6=$ 7

6 더하기 1은 1 더하기 6과 같습니다.

$5+1=\square$

$1+5=\square$

$4+1=\square$

$1+4=\square$

$9+1=\square$

$1+9=\square$

$8+1=\square$

$1+8=\square$

$3+1=\square$

$1+3=\square$

$2+1=\square$

$1+2=\square$

$7+1=\square$

$1+7=\square$

$6+1=\square$

$1+6=\square$

$3 + 1 = \square$

$1 + 3 = \square$

$8 + 1 = \square$

$1 + 8 = \square$

$2 + 1 = \square$

$1 + 2 = \square$

$4 + 1 = \square$

$1 + 4 = \square$

$5 + 1 = \square$

$1 + 5 = \square$

$7 + 1 = \square$

$1 + 7 = \square$

$9 + 1 = \square$

$1 + 9 = \square$

$6 + 1 = \square$

$1 + 6 = \square$

1 덧셈에 맞게 선으로 이으세요.

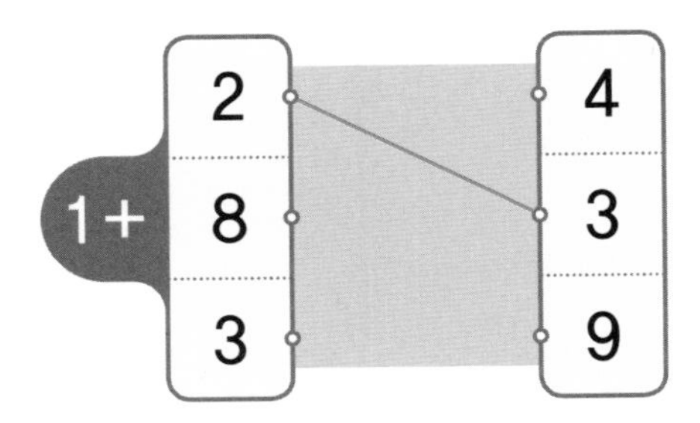


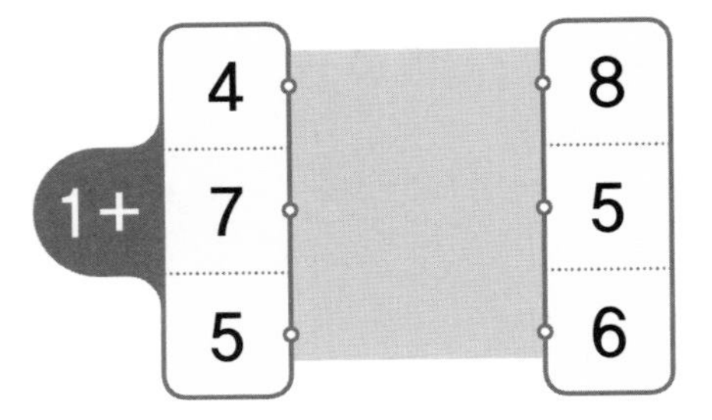


2 선으로 이어진 두 수를 더하여 ◯ 안에 쓰세요.

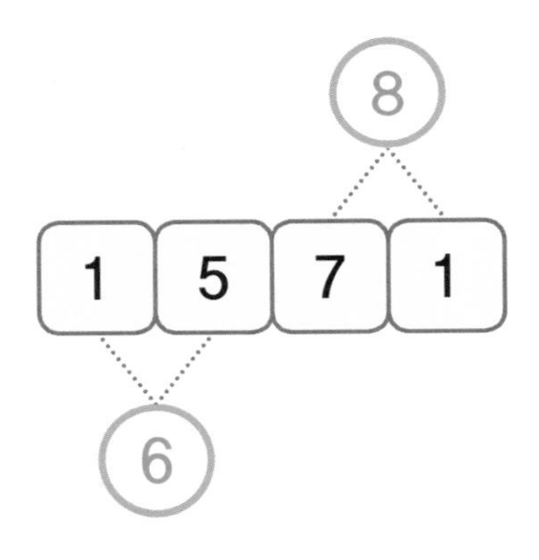


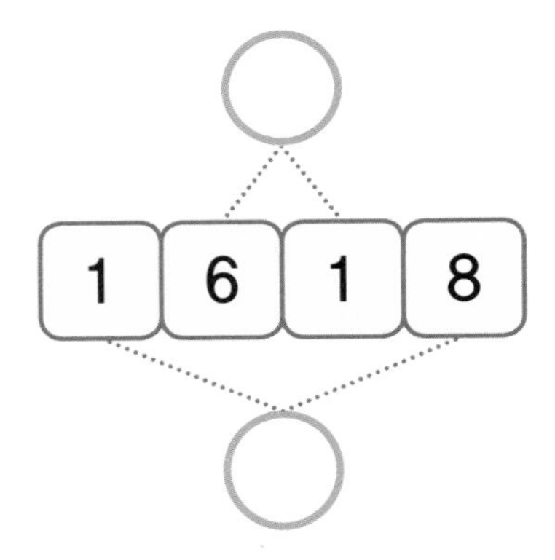


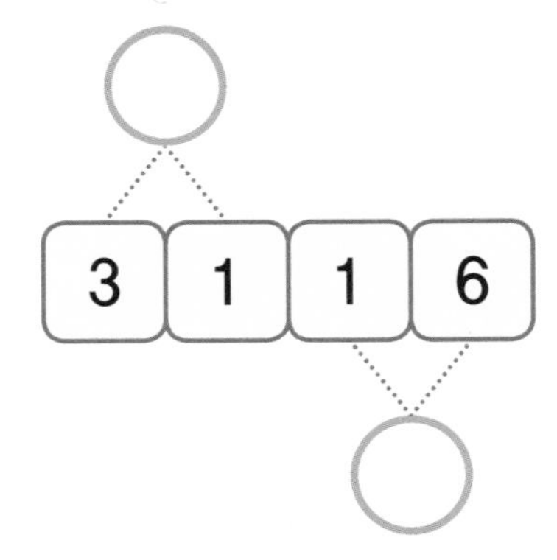


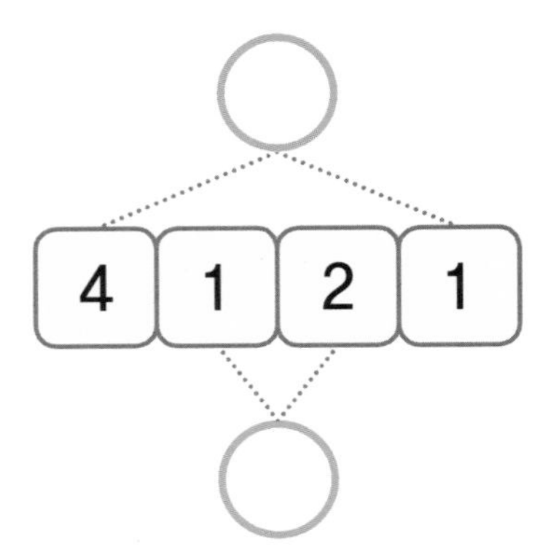

3 다음과 같이 숫자 카드를 사용하여 덧셈식 2개를 만드세요.

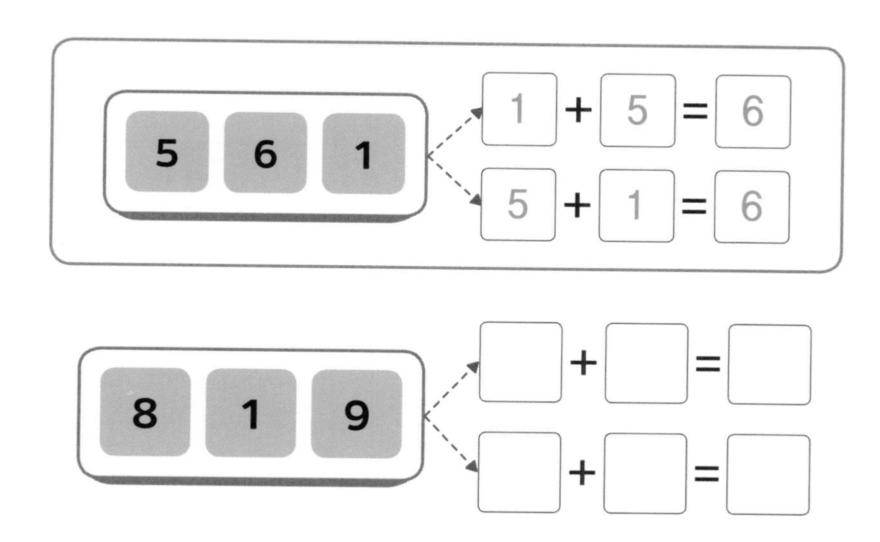


4 파란색 구슬이 1개, 빨간색 구슬이 6개 있습니다. 구슬은 모두 몇 개일까요?

식 ☐ + ☐ = ☐ 답 ☐ 개

5 노란색 풍선이 1개, 보라색 풍선이 8개 있습니다. 풍선은 모두 몇 개일까요?

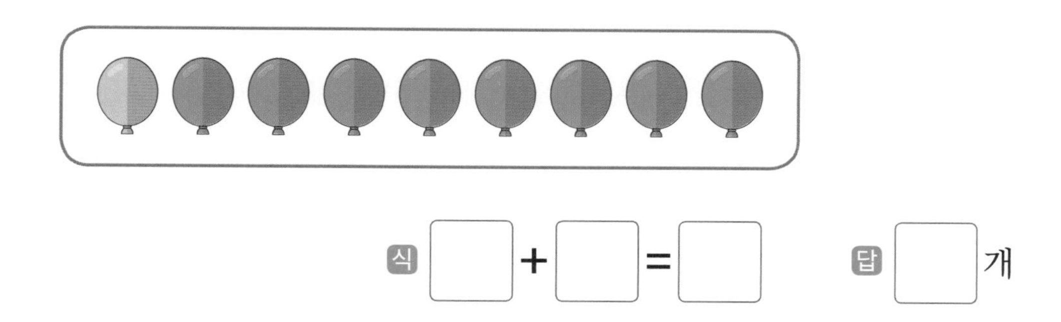

# □가 있는 더하기 1

□ 안에 들어갈 수만큼 ◯표 하고 알맞은 수를 써 봅시다.

●●●● | ○ → ●●●●●

4 + [1] = 5

4에 □를 더하면 5입니다. □는 1입니다.

○○○○○○ | ● → ●●●●●●●

[6] + 1 = 7

□에 1을 더하면 7입니다. □는 6입니다.

●●●●●●● | □ → ●●●●●●●●

7 + □ = 8

□ | ● → ●●●●

□ + 1 = 4

●●●●●●●● | □ → ●●●●●●●●●

8 + □ = 9

□ | ● → ●●●●●●

□ + 1 = 6

$8 + \square = 9$

$1 + \square = 2$

$3 + \square = 4$

$\square + 1 = 3$

$\square + 1 = 7$

$\square + 1 = 4$

$5 + \square = 6$

$4 + \square = 5$

$6 + \square = 7$

$\square + 1 = 8$

$\square + 1 = 2$

$\square + 1 = 10$

$7 + \square = 8$

$2 + \square = 3$

$9 + \square = 10$

$\square + 1 = 6$

$\square + 1 = 5$

$\square + 1 = 9$

1 빈칸에 알맞은 수를 쓰세요.

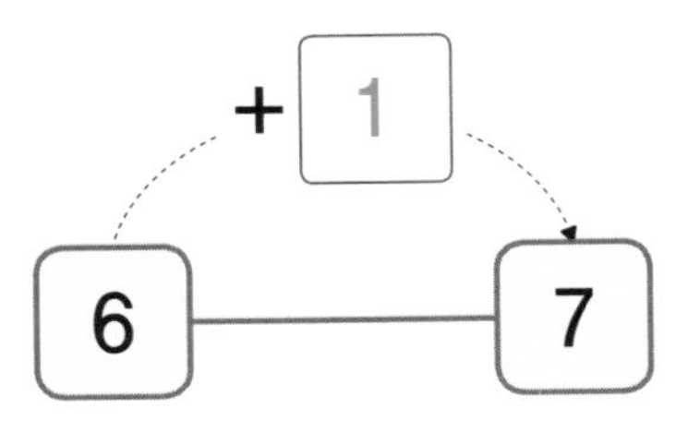


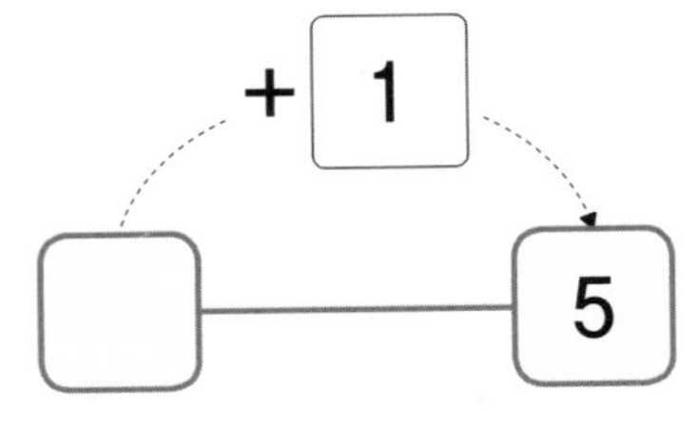


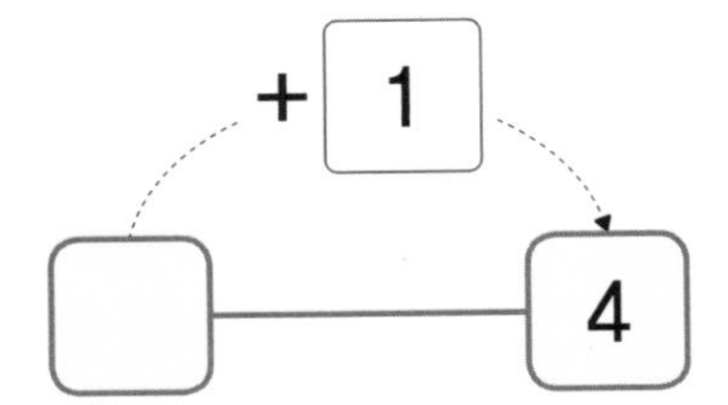


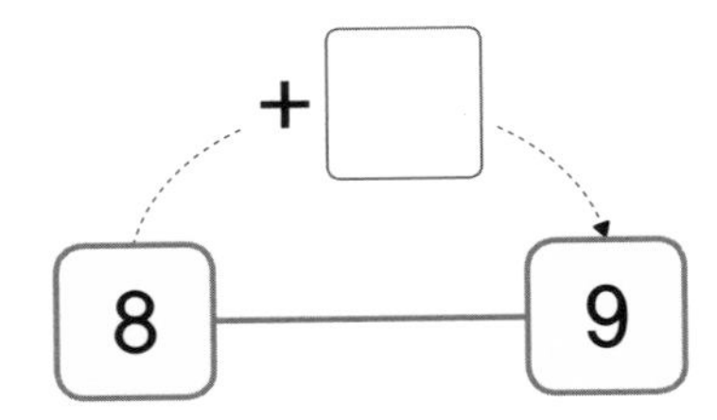


2 빈칸에 알맞은 수를 쓰세요.

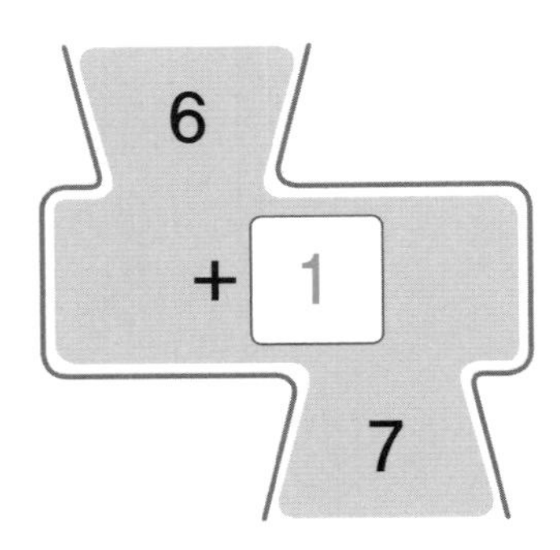


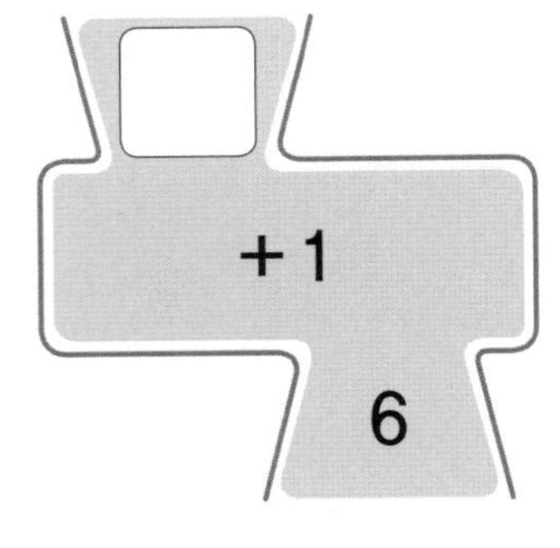


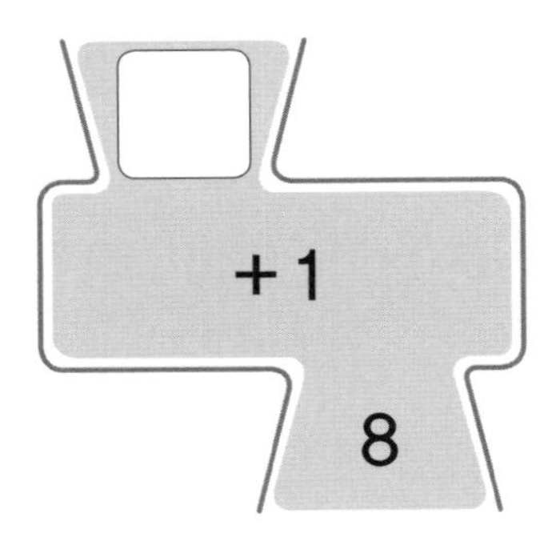


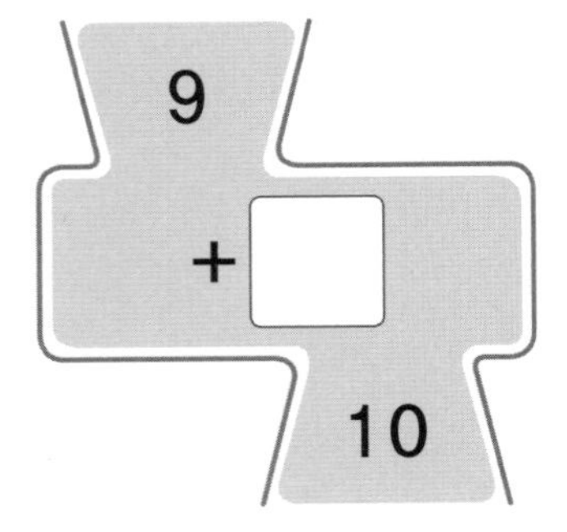

3 주어진 두 수를 사용하여 덧셈식을 완성하세요.

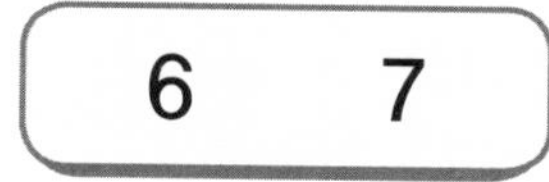

□ + 1 = □

1 6

5 + □ = □

4 5

□ + 1 = □

1 8

7 + □ = □

4 어떤 수 □를 구하세요.

□에 1을 더했더니 8입니다. □는 얼마일까요? □

□+1=8

2에 □를 더했더니 3입니다. □는 얼마일까요? □

2+□=3

□에 1을 더했더니 6입니다. □는 얼마일까요? □

□+1=6

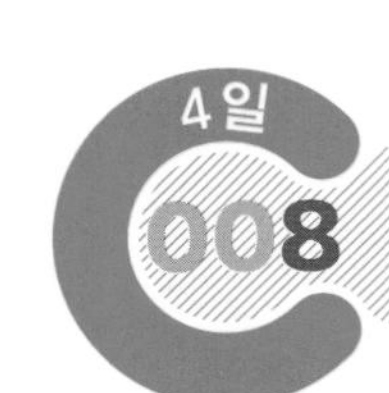


# 1을 두 번 더하기

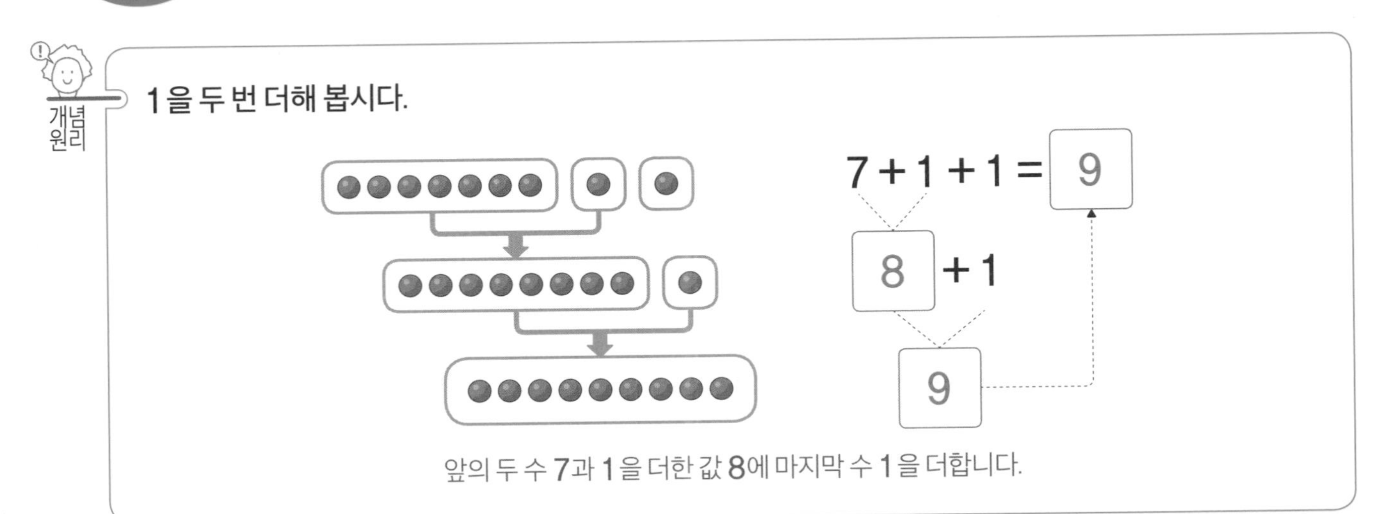

개념 원리
1을 두 번 더해 봅시다.
7 + 1 + 1 = 9
8 + 1
9
앞의 두 수 7과 1을 더한 값 8에 마지막 수 1을 더합니다.


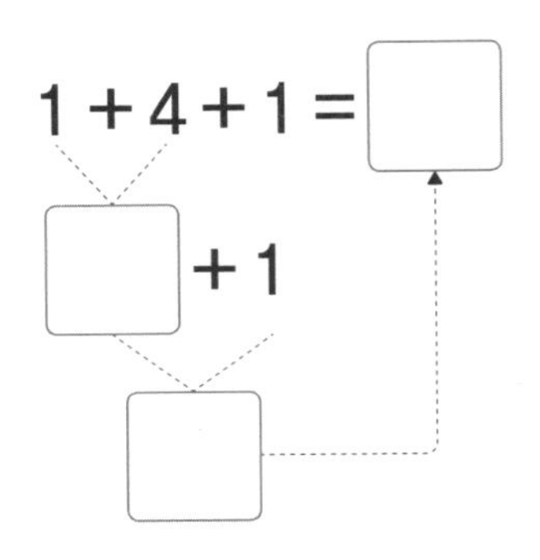

$1 + 4 + 1 = \boxed{\phantom{0}}$

$\boxed{\phantom{0}} + 1$

$\boxed{\phantom{0}}$

$1 + 1 + 1 = \boxed{\phantom{0}}$

$\boxed{\phantom{0}} + 1$

$\boxed{\phantom{0}}$

$1 + 2 + 1 = \boxed{\phantom{0}}$

$\boxed{\phantom{0}} + 1$

$\boxed{\phantom{0}}$

$6 + 1 + 1 = \boxed{\phantom{0}}$

$\boxed{\phantom{0}} + 1$

$\boxed{\phantom{0}}$

$1 + 7 + 1 = \boxed{\phantom{0}}$

$\boxed{\phantom{0}} + 1$

$\boxed{\phantom{0}}$

$1 + 3 + 1 = \boxed{\phantom{0}}$

$\boxed{\phantom{0}} + 1$

$\boxed{\phantom{0}}$


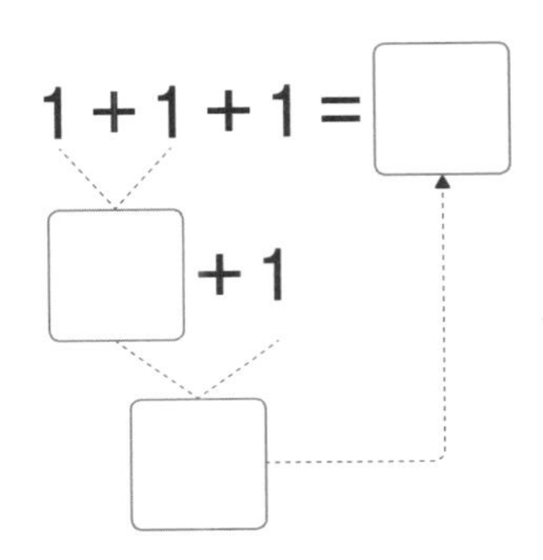


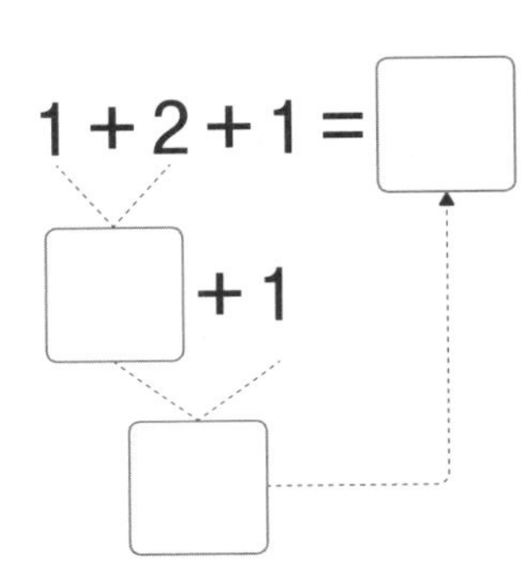


$6 + 1 + 1 = \square$

$\square + 1$

$\square$

$1 + 7 + 1 = \square$

$\square + 1$

$\square$

$1 + 3 + 1 = \square$

$\square + 1$

$\square$

$4 + 1 + 1 = \square$ $1 + 5 + 1 = \square$ $7 + 1 + 1 = \square$

$1 + 6 + 1 = \square$ $2 + 1 + 1 = \square$ $4 + 1 + 1 = \square$

$5 + 1 + 1 = \square$ $1 + 7 + 1 = \square$ $1 + 3 + 1 = \square$

$1 + 7 + 1 = \square$ $6 + 1 + 1 = \square$ $5 + 1 + 1 = \square$

$3 + 1 + 1 = \square$ $1 + 4 + 1 = \square$ $1 + 2 + 1 = \square$

$1 + 2 + 1 = \square$ $3 + 1 + 1 = \square$ $1 + 1 + 1 = \square$

1 빈칸에 알맞은 수를 쓰세요.

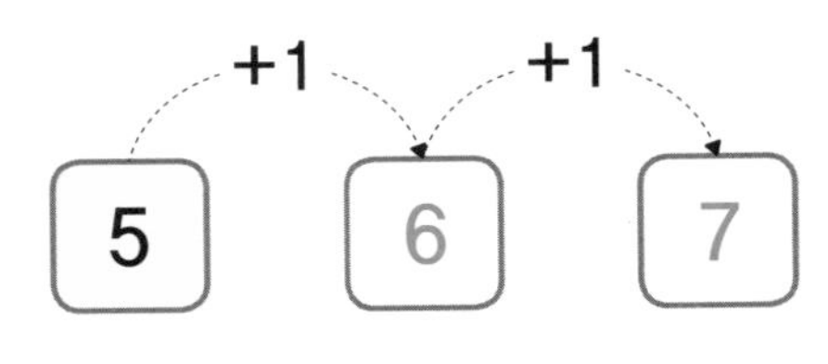


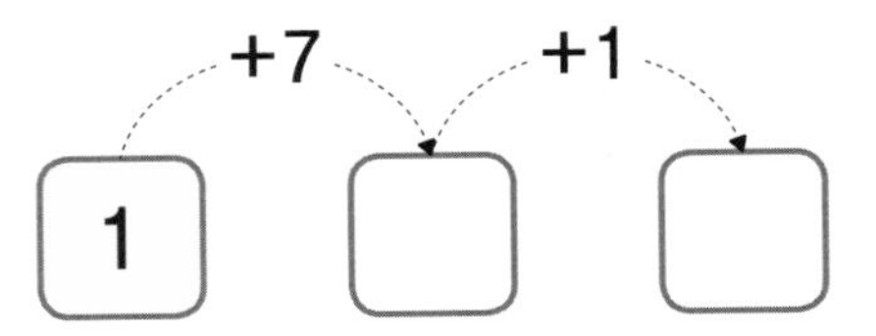


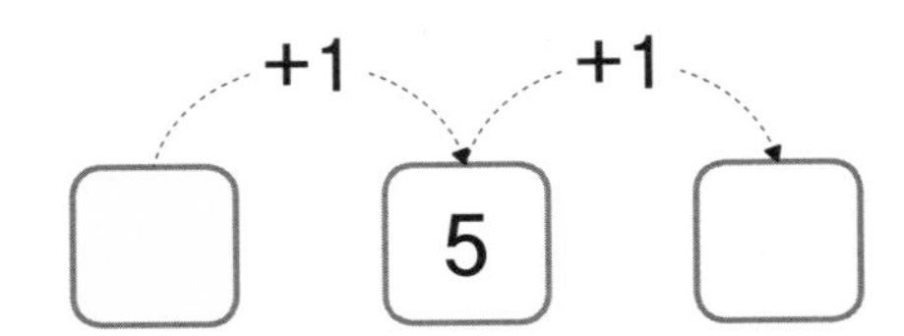


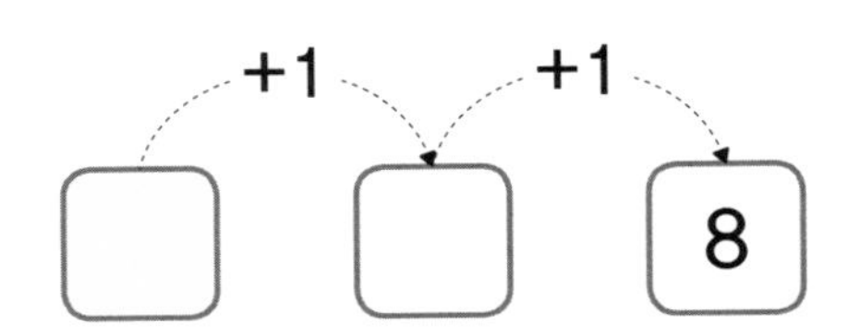


2 빈칸에 알맞은 수를 쓰세요.

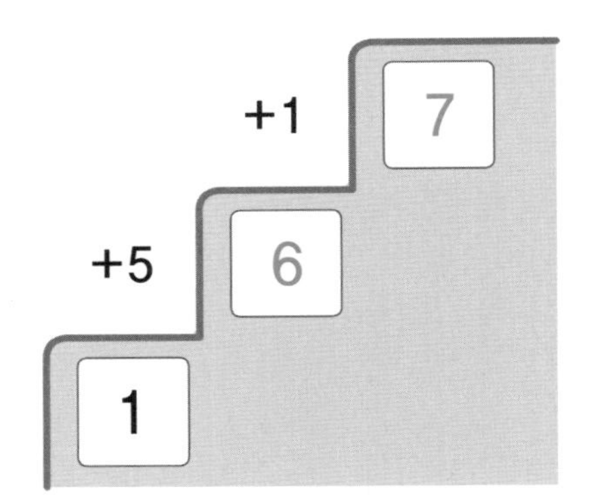


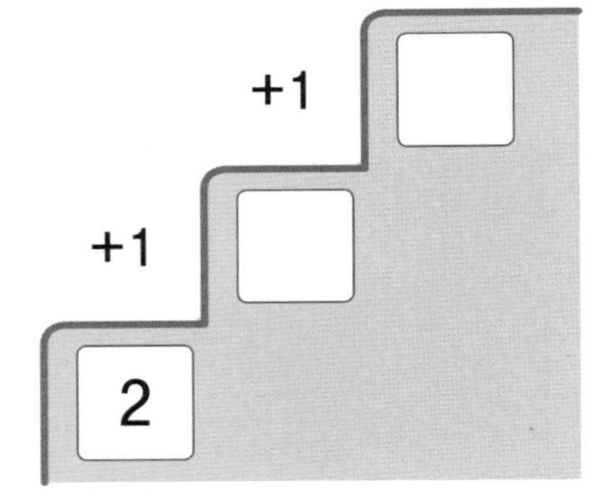


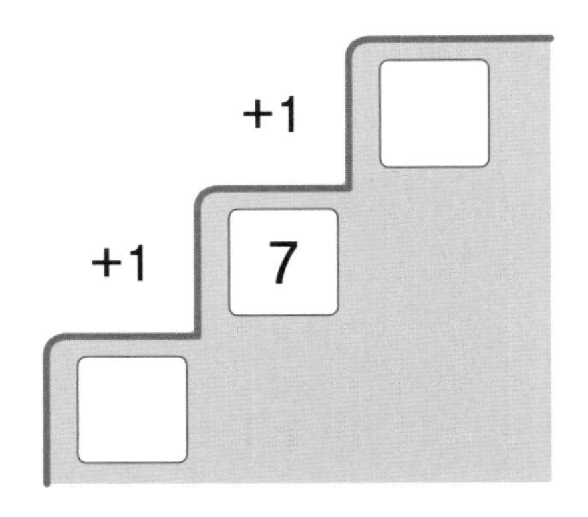


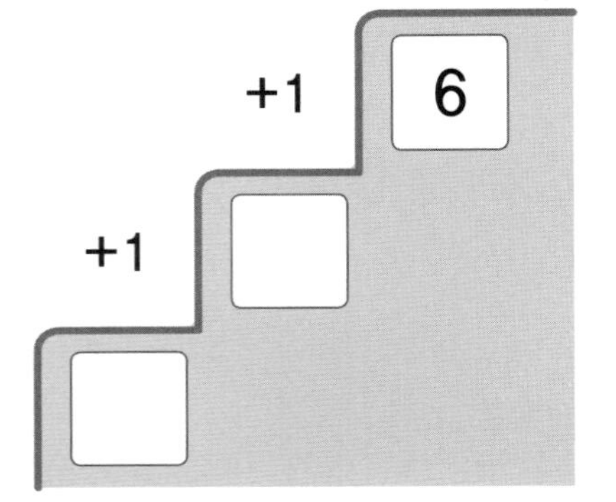

3 그림을 보고 물음에 답하세요.

각 과일의 개수를 쓰세요.

과일은 모두 몇 개일까요?

식 □ + □ + □ = □  답 □ 개

4 그림을 보고 알맞은 덧셈식을 쓰세요.

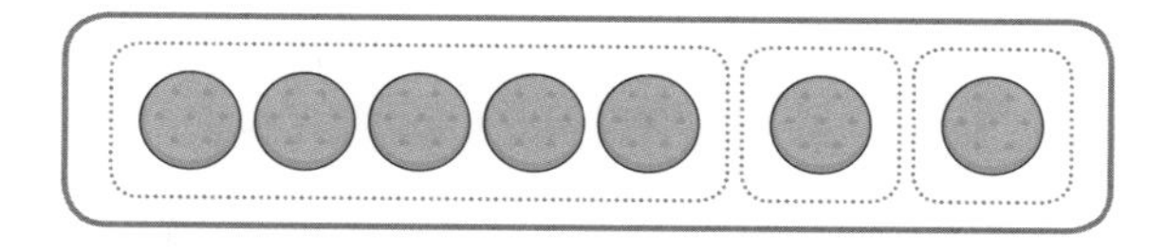

□ + □ + □ = □

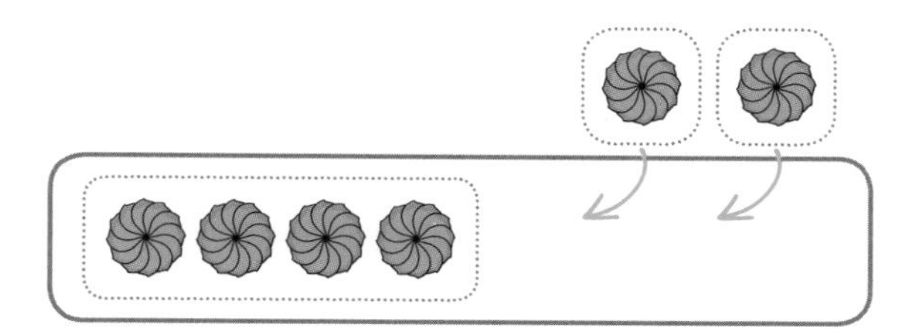

□ + □ + □ = □

# 형성평가

1 계산을 한 다음 알맞게 선으로 이으세요.

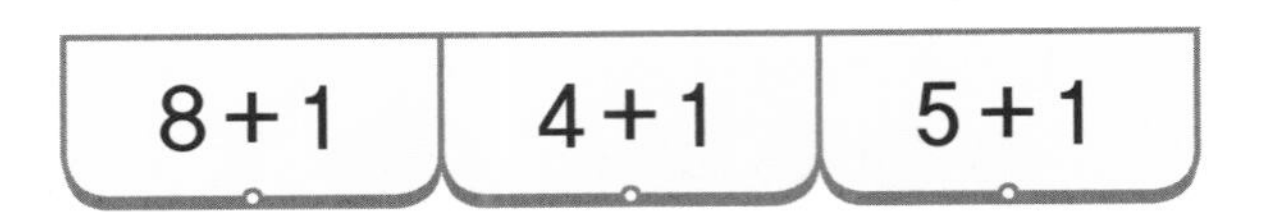


5　　6　　9

2 토끼와 돼지는 모두 몇 마리일까요?

3 덧셈을 하세요.

$6+1=\square$

$1+6=\square$

$8+1=\square$

$1+8=\square$

4 선으로 이어진 두 수를 더하여 ◯ 안에 쓰세요.

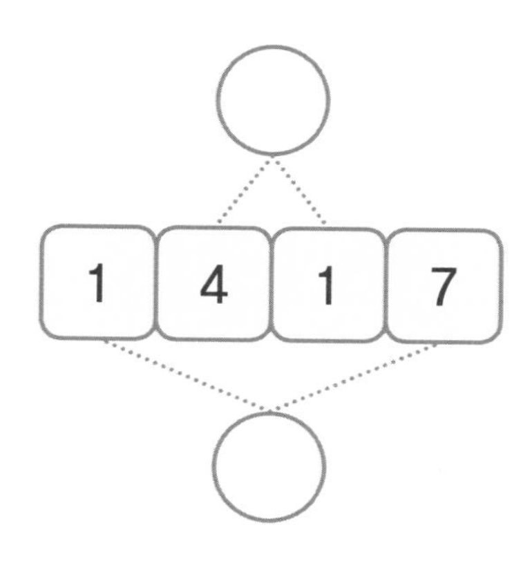


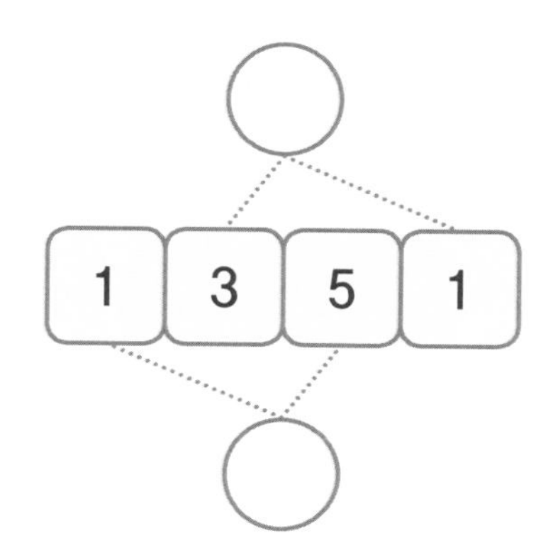


5 다음 숫자 카드를 사용하여 덧셈식 2개를 만드세요.

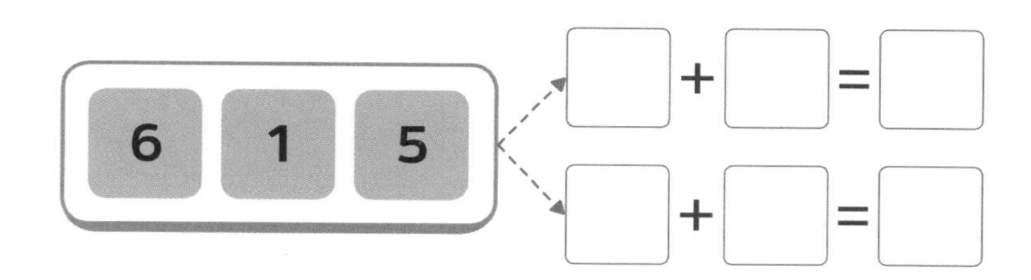


6 □에 1을 더했더니 3입니다. □는 얼마일까요?

□+1=3

□

7 계산을 하세요.

$7+1+1=\square$  $5+1+1=\square$  $1+3+1=\square$

8 빈칸에 알맞은 수를 쓰세요.

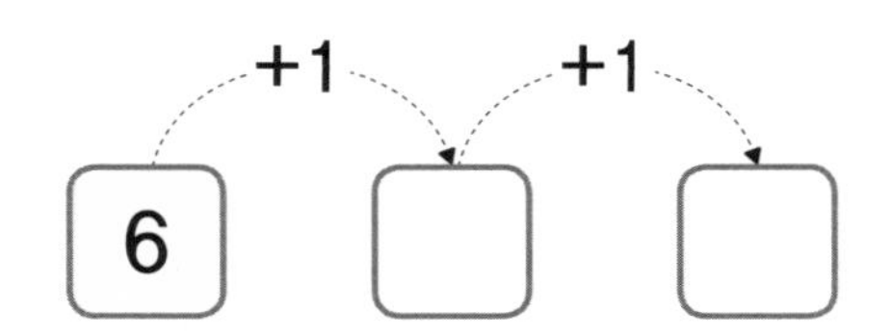


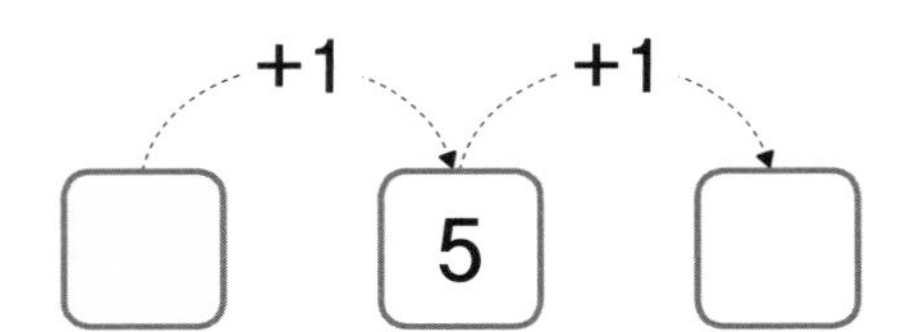


9 그림을 보고 물음에 답하세요.

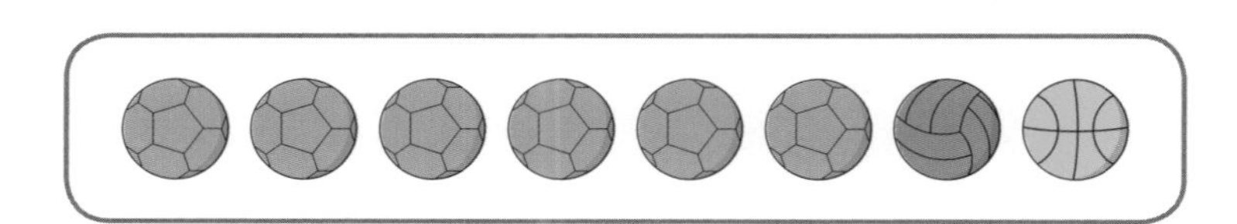

공의 개수를 쓰세요.

: □개, : □개, : □개

공은 모두 몇 개일까요?

식 $\square+\square+\square=\square$  답 □개

# 빼기

빼는 수가 1인 한 자리 수의 뺄셈

# 거꾸로 세기

10부터 거꾸로 세어 빈칸에 알맞은 수를 써 봅시다.

10 → 9 → 8 → 7 → 6 → 5 → 4 → 3 → 2 → 1

10부터 거꾸로 세면 '십 구 팔 칠 육 오 사 삼 이 일'입니다.

10 → 9 → □ → □ → 6 → 5 → 4 → □ → 2 → 1

10 → 9 → 8 → 7 → □ → □ → 4 → 3 → 2 → □

10 → □ → □ → 7 → 6 → 5 → 4 → 3 → □ → 1

10 → 9 → 8 → □ → 6 → 5 → □ → □ → 2 → 1

□ → 9 → 8 → 7 → 6 → □ → 4 → 3 → 2 → □

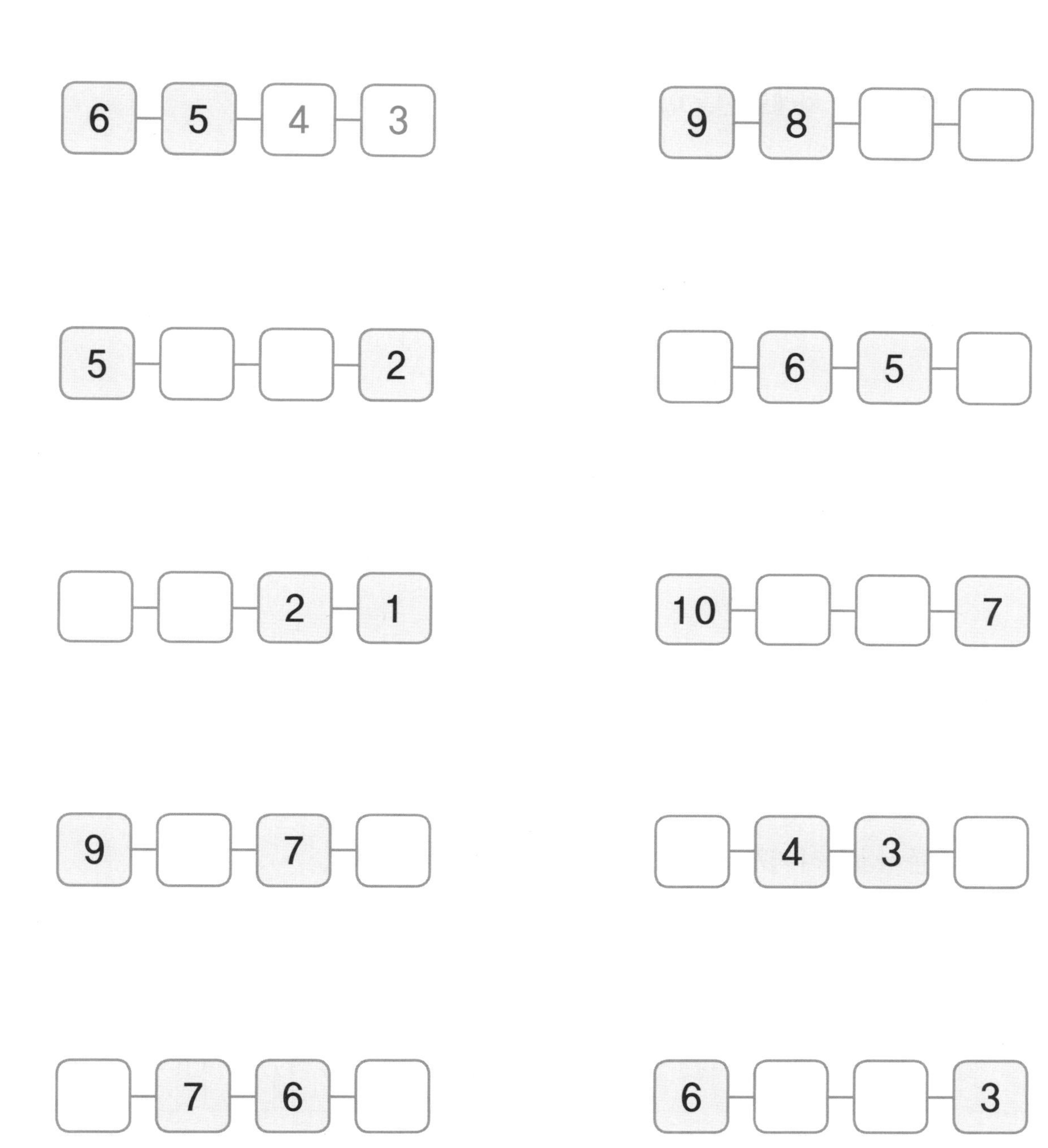
6 5 4 3
9 8
5 2
6 5
2 1
10 7
9 7
4 3
7 6
6 3

7 4
3 1

1 10부터 거꾸로 세어 차례로 선을 이으세요.

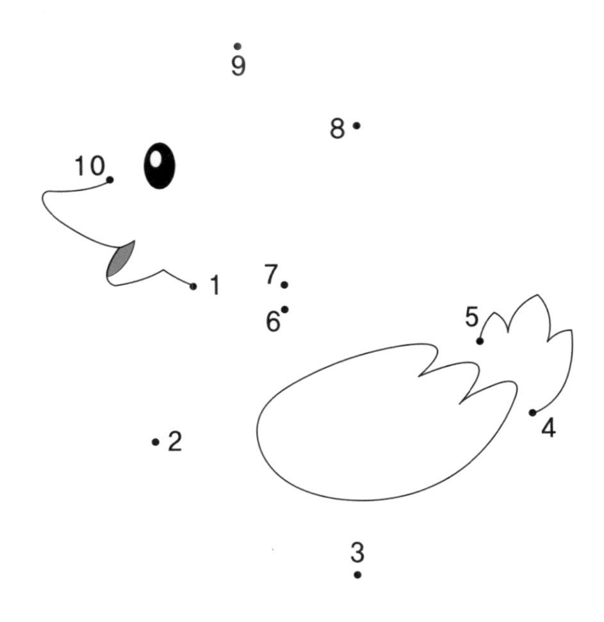


2 ⬡안의 수를 사용하여 거꾸로 세어 보세요.

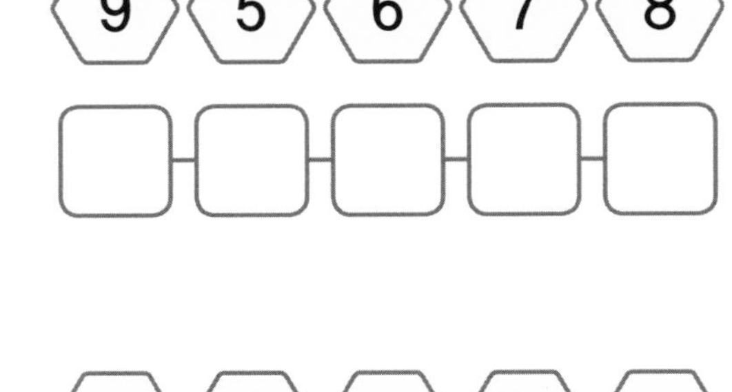


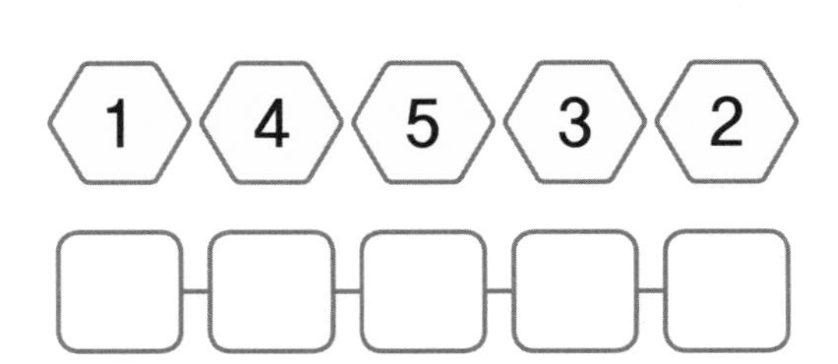


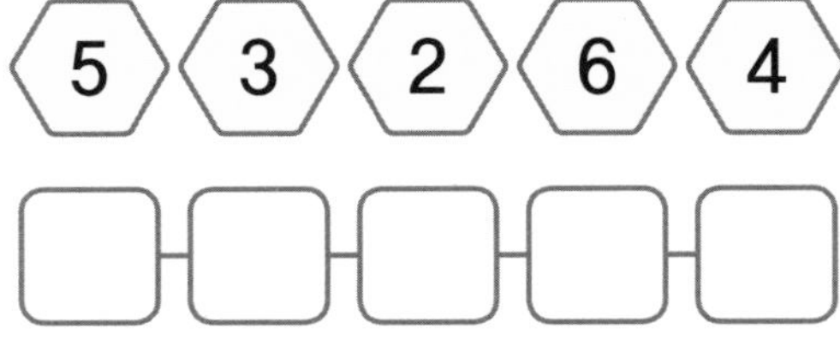

3 거꾸로 세어 차례로 이으세요.

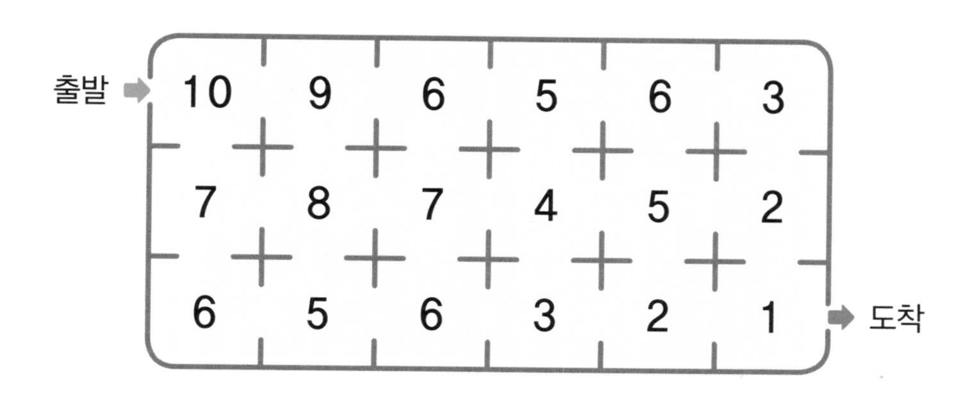


4 거꾸로 세었습니다. 7 다음에 오는 수에 ◯표 하고 수를 쓰세요.

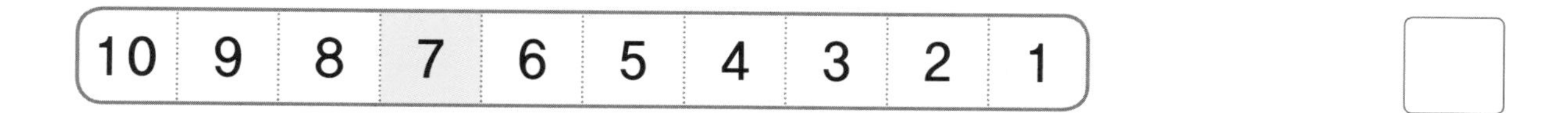


☐

5 거꾸로 세었습니다. 3 다음에 오는 수는 얼마일까요?

☐

6 10부터 거꾸로 5번 세었습니다. 마지막에 센 수는 얼마일까요?

10 ☐ ☐ ☐ ☐ ☐

1번 2번 3번 4번 5번

☐

2일

010

# 1 작은 수

개념원리

● 안 수의 왼쪽 수에 ◯표 하고 1 작은 수를 써 봅시다.

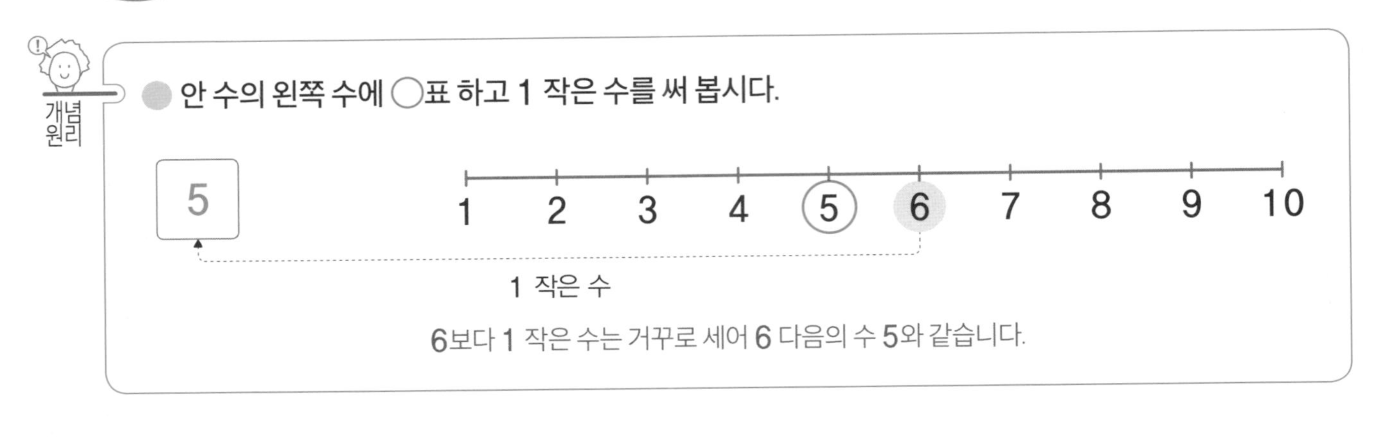


6보다 1 작은 수는 거꾸로 세어 6 다음의 수 5와 같습니다.

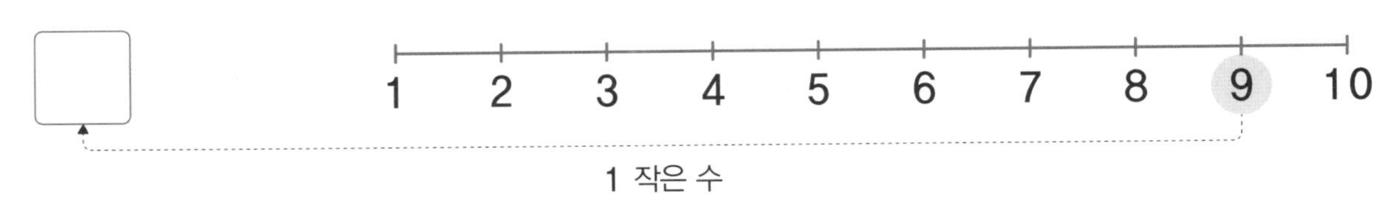


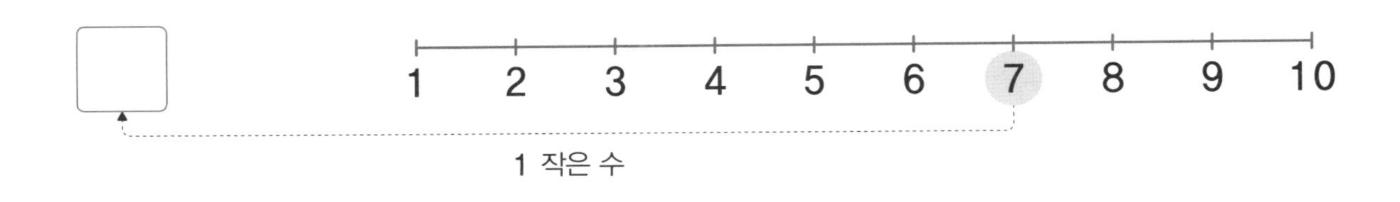


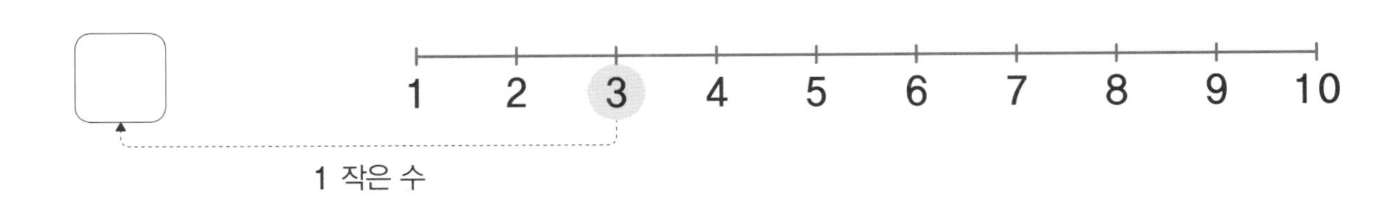


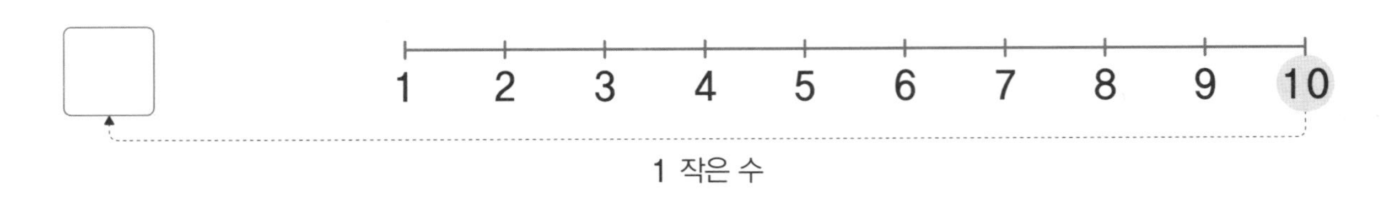

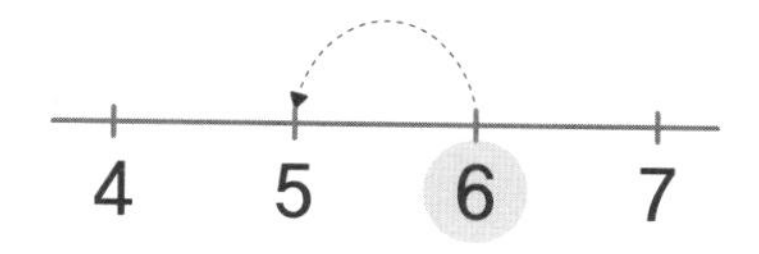

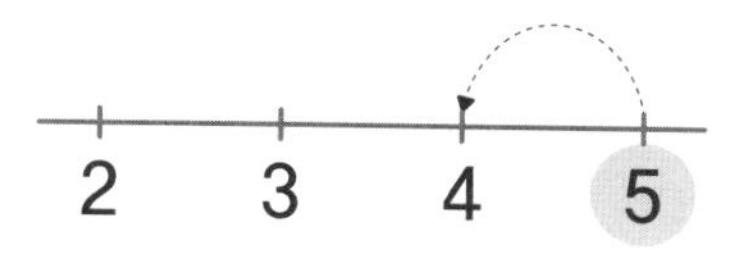

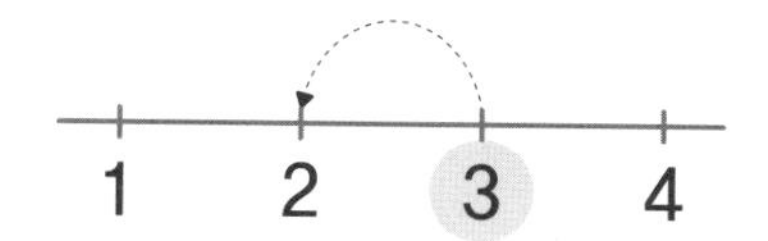


□ ← 1 작은 수 3

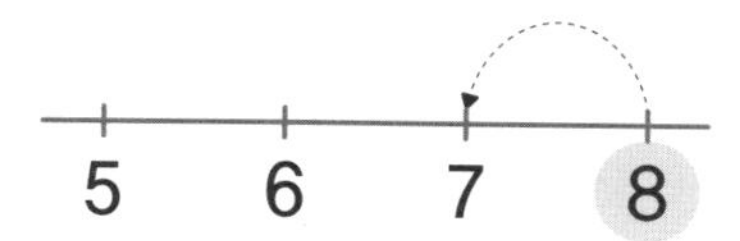


□ ← 1 작은 수 8

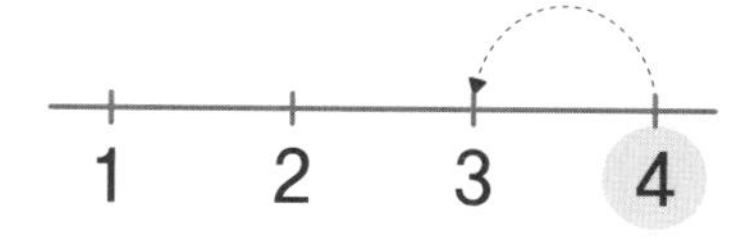

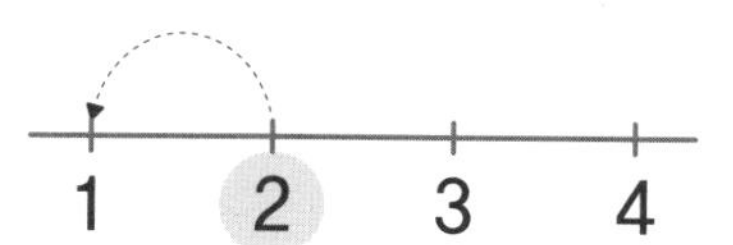


□ ← 1 작은 수 2

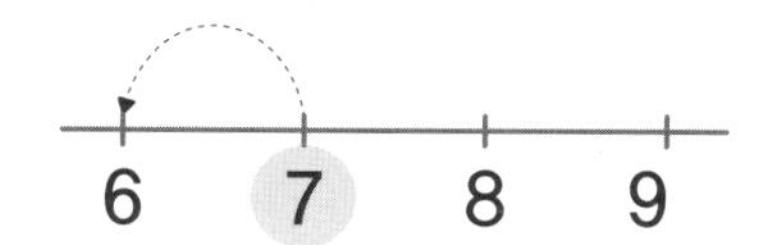


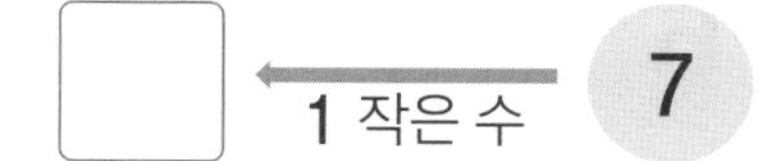


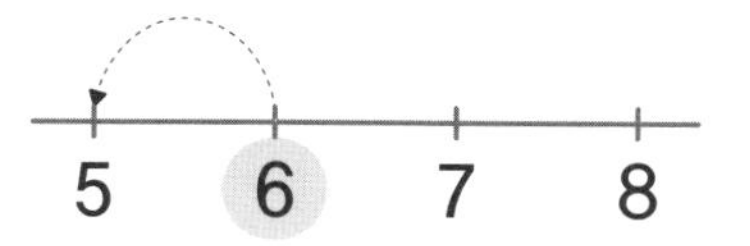


□ ← 1 작은 수 6

1 1 작은 수를 찾아 선으로 이으세요.

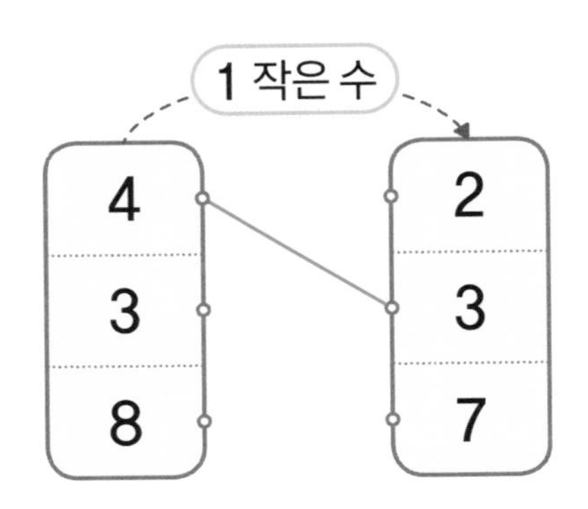


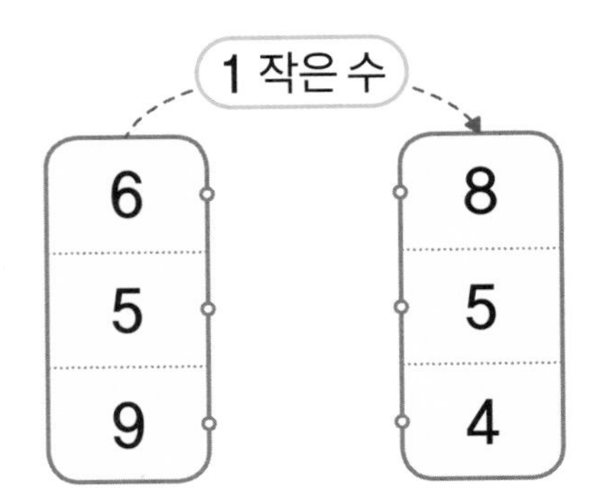


2 ● 안의 수보다 1 작은 수를 찾아 선으로 연결하세요.

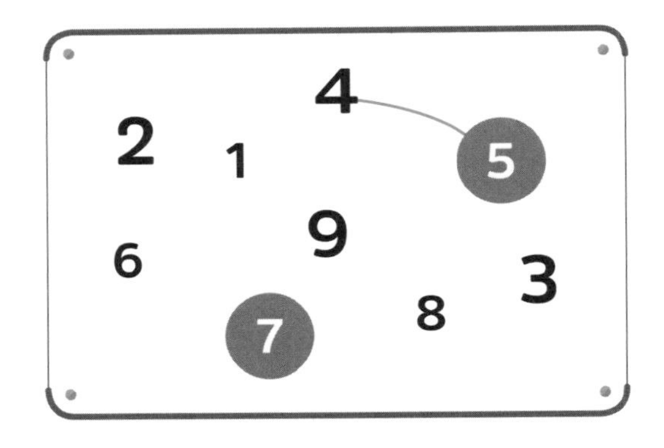


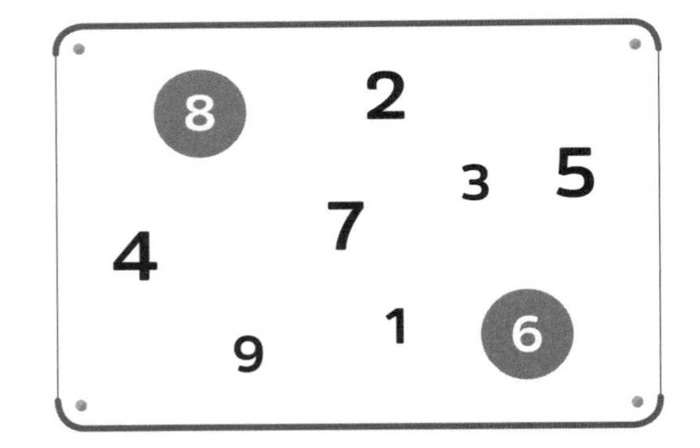


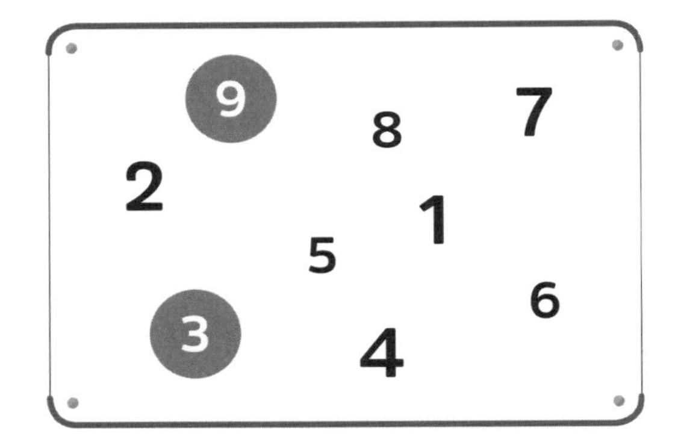


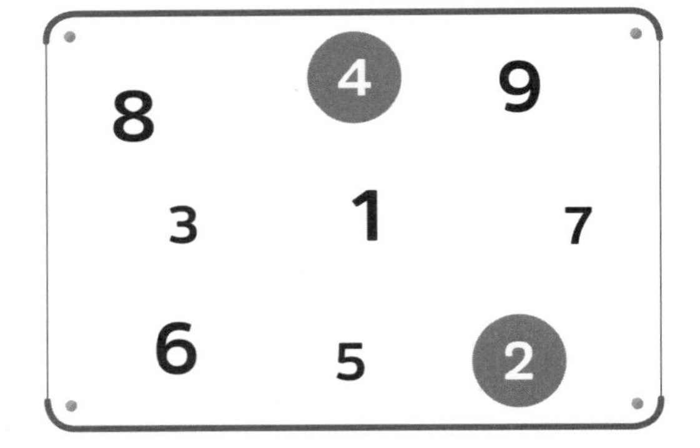

3 알맞은 것을 찾아 선으로 이으세요.

| | |
|---|---|
| 7보다 1 작은 수 | 7 |
| 2보다 1 작은 수 | 1 |
| 8보다 1 작은 수 | 6 |

| | |
|---|---|
| 4보다 1 작은 수 | 4 |
| 6보다 1 작은 수 | 3 |
| 5보다 1 작은 수 | 5 |

4 빈칸에 알맞은 수를 쓰세요.

4보다 1 작은 수는 ☐ 입니다.

☐ 보다 1 작은 수는 8입니다.

6보다 1 작은 수는 ☐ 입니다.

2보다 ☐ 작은 수는 1입니다.

5 10보다 1 작은 수는 얼마일까요? ☐

3일

# 011 빼기 1

개념원리

빼기 1을 해 봅시다.

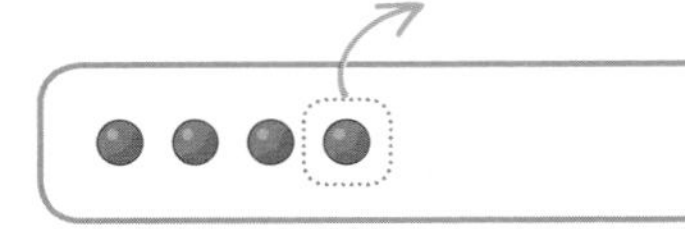

$4 - 1 =$ 3

구슬 4개에서 구슬 1개를 빼면 3개가 남습니다.

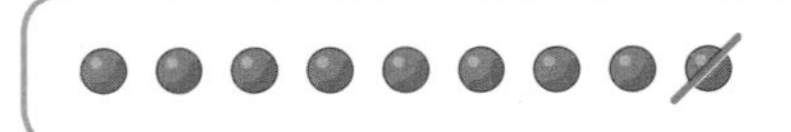

$9 - 1 =$ 8

구슬 9개에서 구슬 1개를 지우면 8개가 남습니다.

$7 - 1 =$ ☐

$5 - 1 =$ ☐

$6 - 1 =$ ☐

$8 - 1 =$ ☐

$3 - 1 = \square$

$5 - 1 = \square$

$2 - 1 = \square$

$8 - 1 = \square$

$6 - 1 = \square$

$10 - 1 = \square$

$7 - 1 = \square$

$4 - 1 = \square$

$9 - 1 = \square$

$$\begin{array}{r} 8 \\ -\ 1 \\ \hline \square \end{array} \quad \begin{array}{r} 5 \\ -\ 1 \\ \hline \square \end{array} \quad \begin{array}{r} 7 \\ -\ 1 \\ \hline \square \end{array} \quad \begin{array}{r} 3 \\ -\ 1 \\ \hline \square \end{array}$$

$$\begin{array}{r} 2 \\ -\ 1 \\ \hline \square \end{array} \quad \begin{array}{r} 9 \\ -\ 1 \\ \hline \square \end{array} \quad \begin{array}{r} 6 \\ -\ 1 \\ \hline \square \end{array} \quad \begin{array}{r} 4 \\ -\ 1 \\ \hline \square \end{array}$$

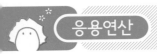

1 계산을 한 다음 알맞게 선으로 이으세요.

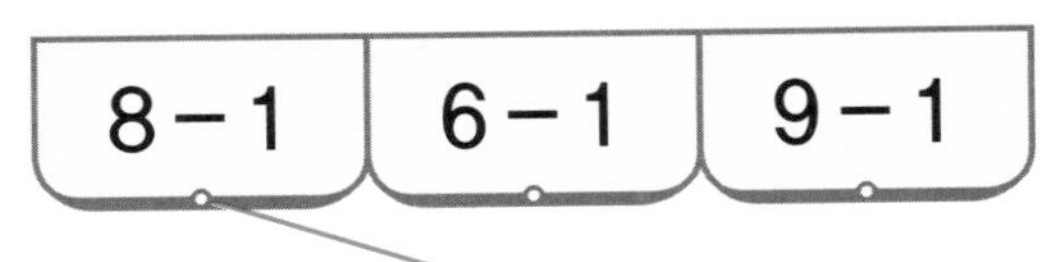


5 8 7

2 − 1 4 − 1 8 − 1

1 3 7

3 − 1 5 − 1 7 − 1

6 2 4

6 − 1 5 − 1 9 − 1

8 4 5

2 계산을 하여 빈칸에 알맞은 수를 쓰세요.

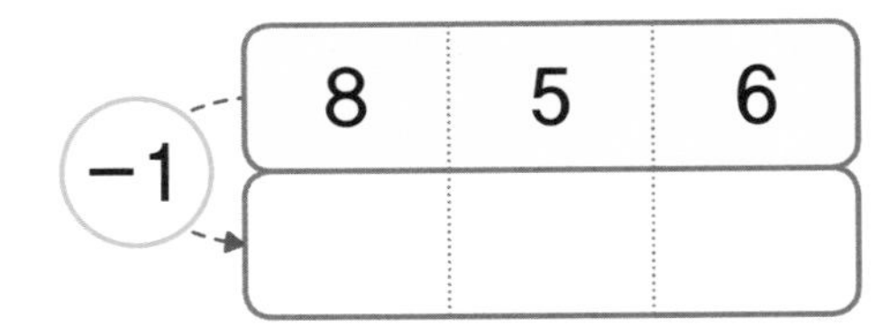


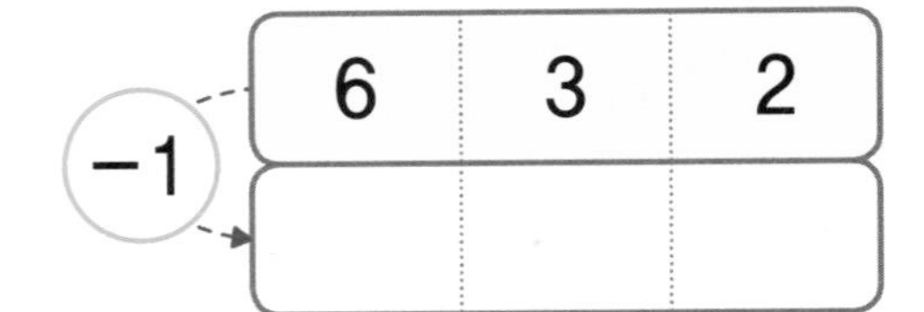


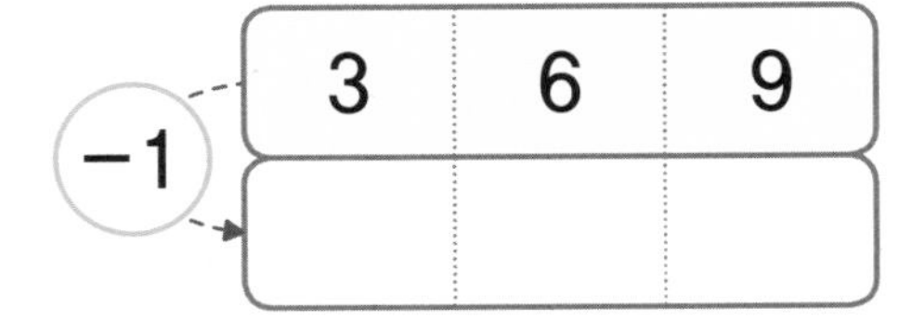


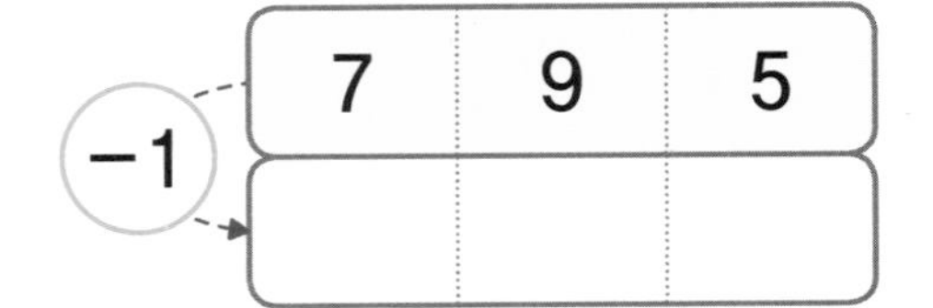

3 사과 하나를 먹었습니다. 남은 사과는 몇 개일까요?

식 ☐ − ☐ = ☐

답 ☐ 개

4 수박 한 조각을 먹었습니다. 남은 수박은 몇 조각일까요?

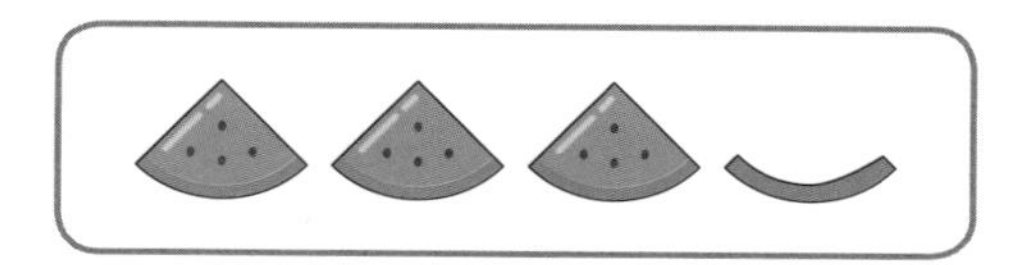

식 ☐ − ☐ = ☐

답 ☐ 조각

5 그림을 보고 알맞은 뺄셈식을 쓰세요.

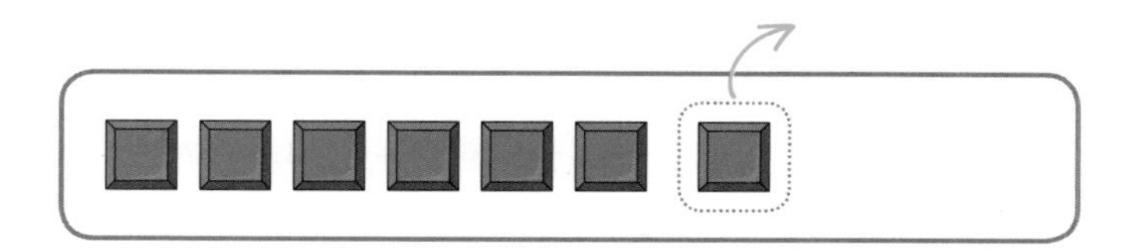

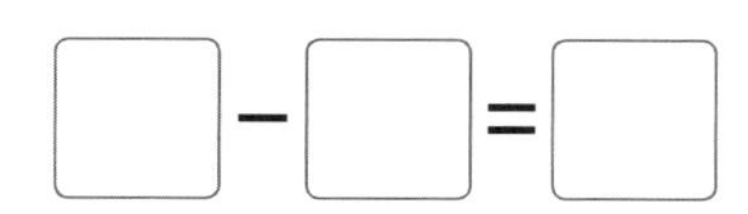

☐ − ☐ = ☐

☐ − ☐ = ☐

# □가 있는 빼기 1

□가 있는 뺄셈에서 □의 값을 구해 봅시다.

9 − [ 1 ] = 8

9에서 □만큼 지우면 8입니다.
□는 1입니다.

[ 4 ] − 1 = 3

□에서 1을 지웠더니 3입니다.
□는 4입니다.

6 − □ = 5

□ − 1 = 2

8 − □ = 7

□ − 1 = 6

5 − □ = 4

□ − 1 = 1

$7 - \square = 6$

$8 - \square = 7$

$4 - \square = 3$

$\square - 1 = 8$

$\square - 1 = 3$

$\square - 1 = 1$

$5 - \square = 4$

$2 - \square = 1$

$6 - \square = 5$

$\square - 1 = 7$

$\square - 1 = 4$

$\square - 1 = 2$

$3 - \square = 2$

$9 - \square = 8$

$8 - \square = 7$

$\square - 1 = 6$

$\square - 1 = 5$

$\square - 1 = 3$

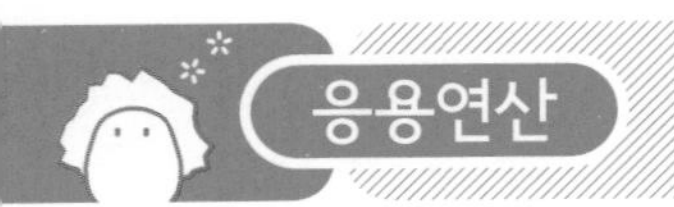


1 빈칸에 알맞은 수를 쓰세요.

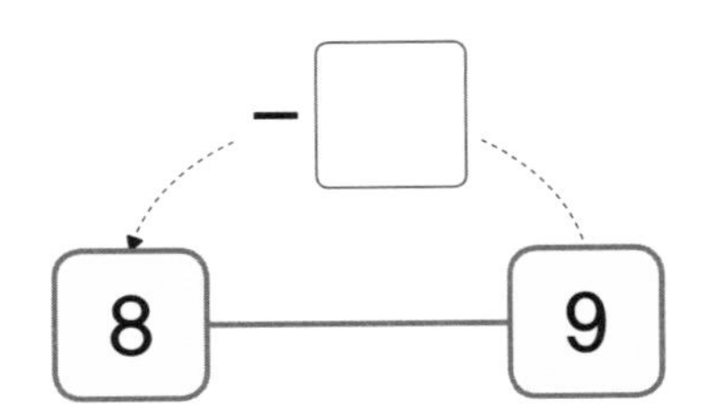


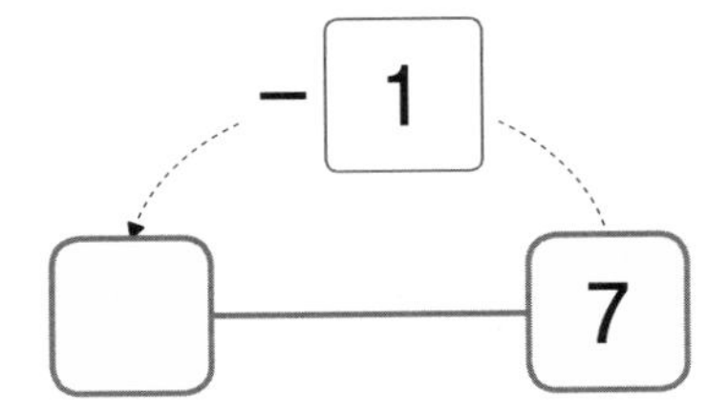


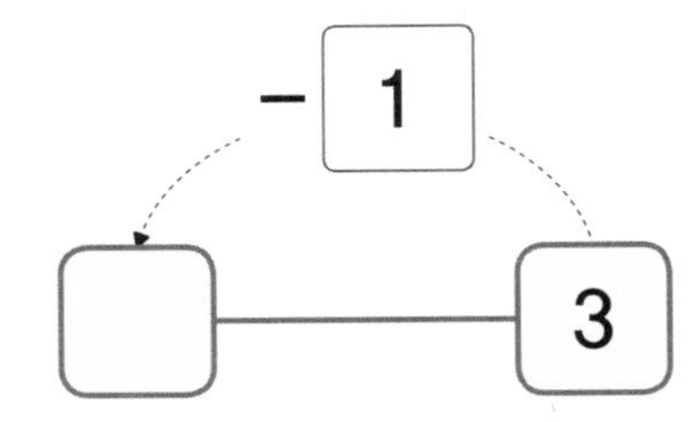


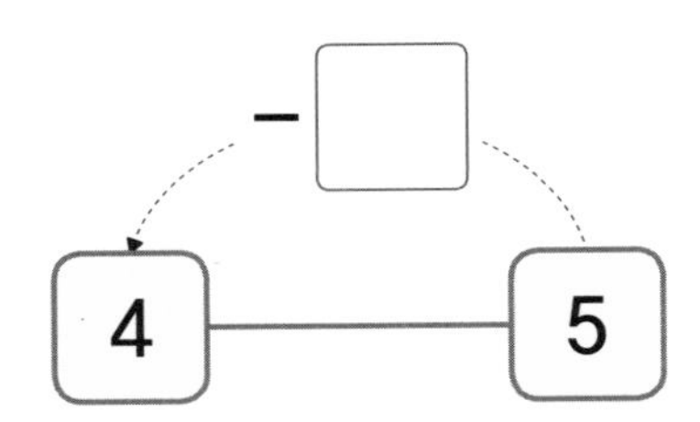


2 △ 안의 세 수 중 두 수를 □ 안에 넣어 뺄셈식을 완성하세요.

(7, 2, 6) □ − 1 = □

(1, 4, 6) □ − □ = 5

(3, 4, 7) □ − 1 = □

(8, 1, 5) □ − □ = 7

3 빈칸에 알맞은 수를 쓰세요.

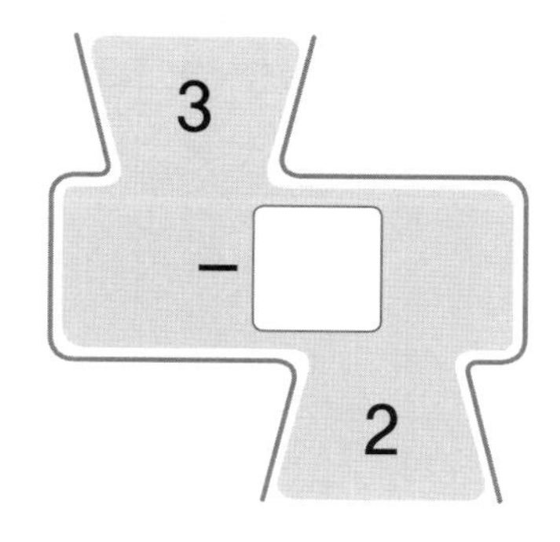


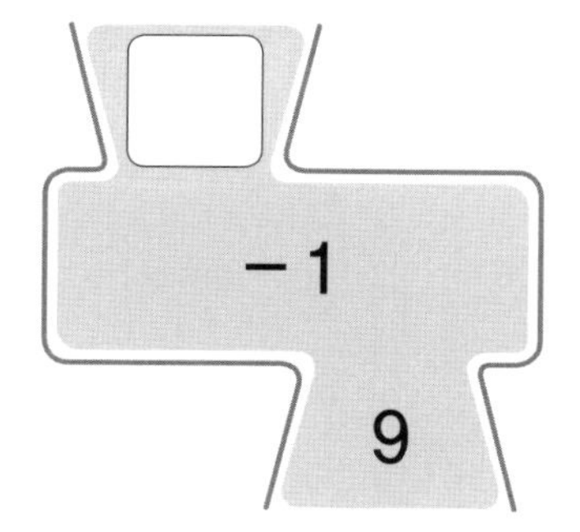


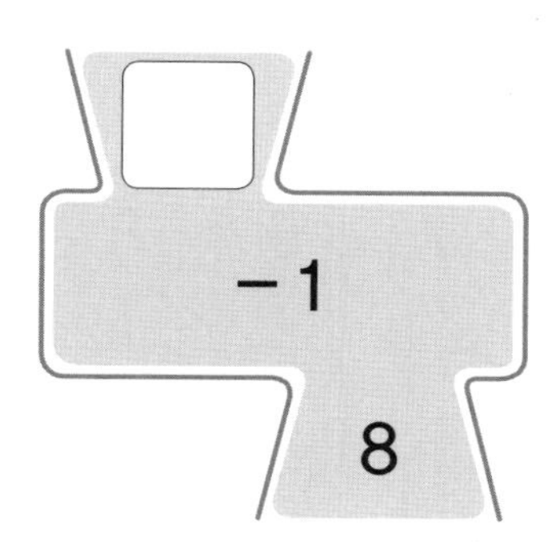


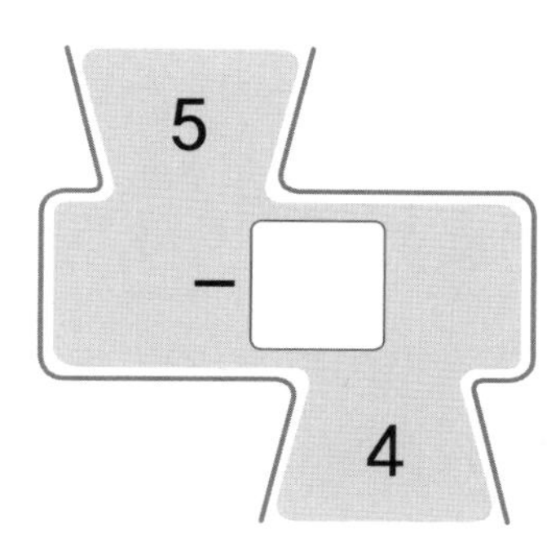


4 어떤 수 □를 구하세요.

□에서 1을 뺐더니 3이 되었습니다. □는 얼마일까요?

□−1=3

7에서 □를 뺐더니 6이 되었습니다. □는 얼마일까요?

7−□=6

# 형성평가

1 거꾸로 세어 빈칸에 알맞은 수를 쓰세요.

2 ⬡ 안의 수를 사용하여 거꾸로 세어 보세요.

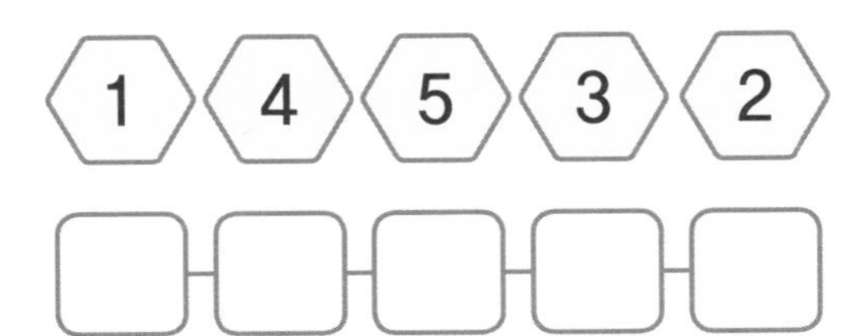


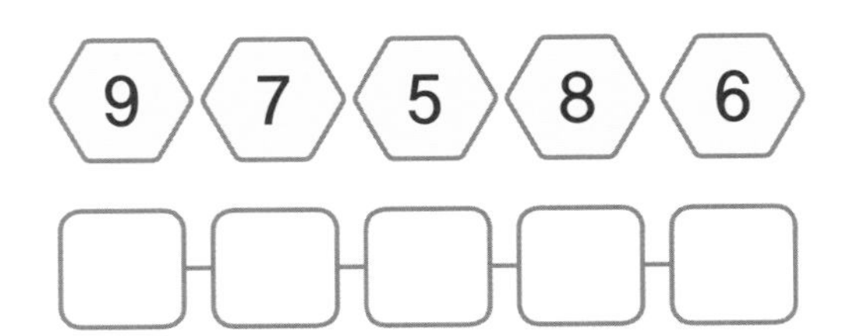


3 ● 안의 수보다 1 작은 수를 쓰세요.

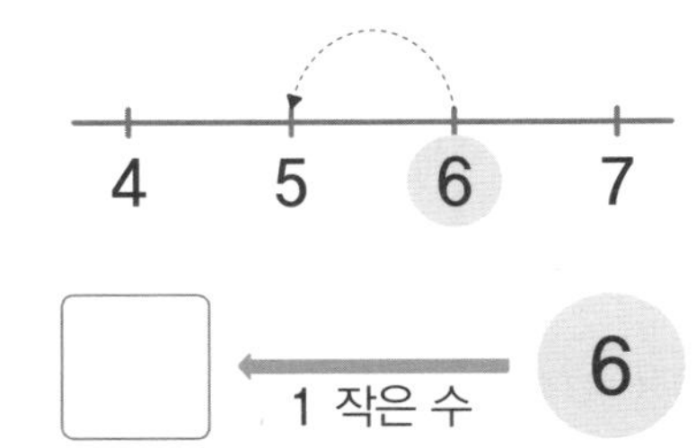


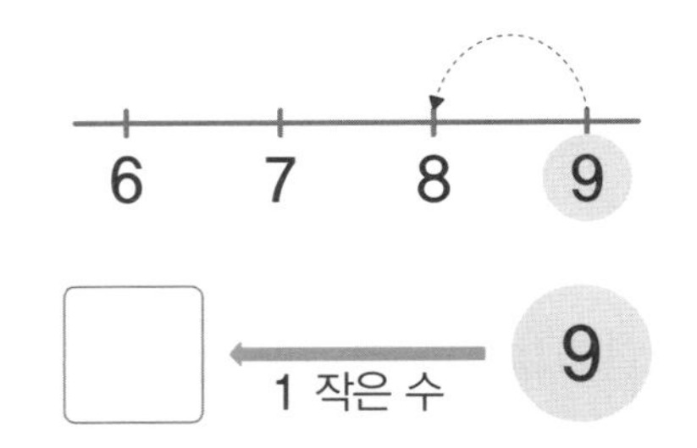

4 ● 안의 수보다 1 작은 수를 찾아 선으로 연결하세요.

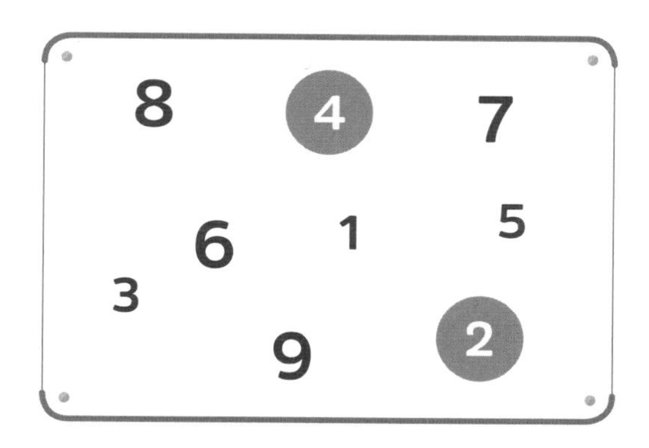


5 계산을 한 다음 알맞게 선으로 이으세요.

| 8 − 1 | 5 − 1 | 7 − 1 |
| --- | --- | --- |

| 4 | 6 | 7 |
| --- | --- | --- |

6 아이스크림을 1 개 먹었습니다. 남은 아이스크림은 몇 개일까요?

식 □ − □ = □

답 □ 개

7 △ 안의 세 수 중 두 수를 □ 안에 넣어 뺄셈식을 완성하세요.

4, 1, 3   □ − 1 = □

8, 7, 1   □ − □ = 6

8 □ 안에 알맞은 수를 쓰세요.

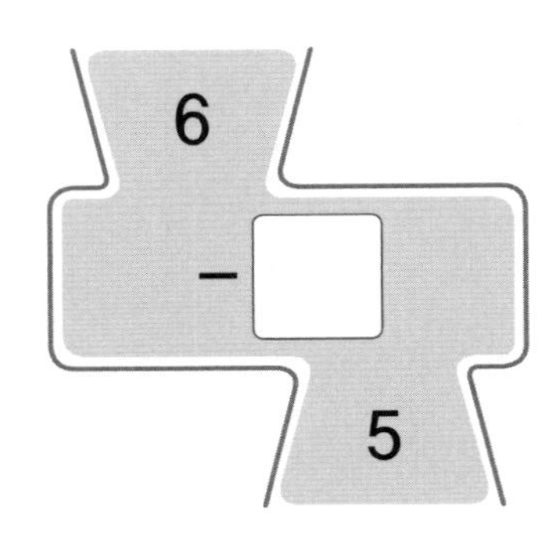


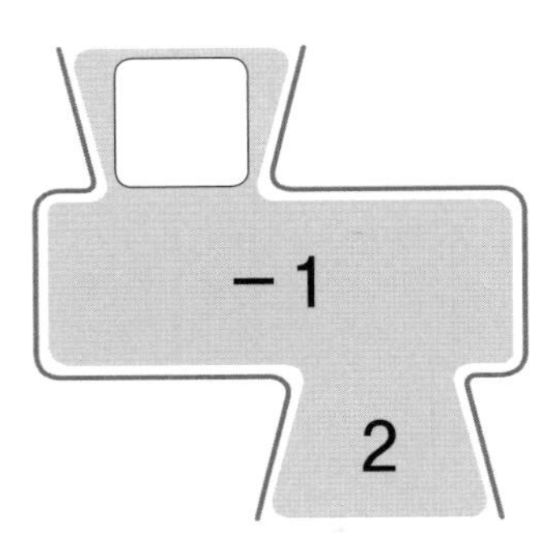


9 □ 에서 1 을 뺐더니 7이 되었습니다. □ 는 얼마일까요? □

□ − 1 = 7

# 더하기와 빼기

## 더하는 수가 1, 빼는 수가 1인 덧셈과 뺄셈

1일

013

# 더하기와 빼기 1

개념원리

1 큰 수와 1 작은 수를 쓰고 더하기 1, 빼기 1을 해 봅시다.

$4+1=$ 5

$4-1=$ 3

4 더하기 1은 4보다 1 큰 수인 5와 같습니다.
4 빼기 1은 4보다 1 작은 수인 3과 같습니다.

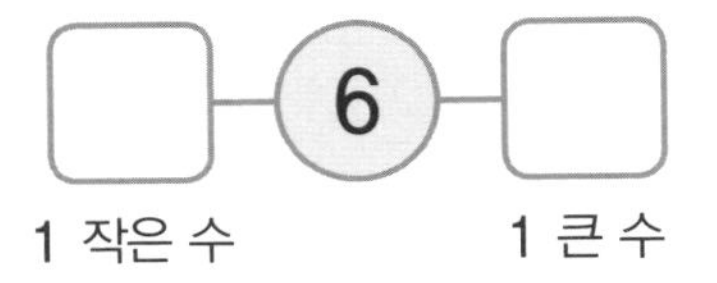


$6+1=$ □

$6-1=$ □

□ — 8 — □

1 작은 수 1 큰 수

$8+1=$ □

$8-1=$ □

□ — 3 — □

1 작은 수 1 큰 수

$3+1=$ □

$3-1=$ □

□ — 5 — □

1 작은 수 1 큰 수

$5+1=$ □

$5-1=$ □

$4 + 1 = \square$

$7 - 1 = \square$

$1 + 1 = \square$

$9 - 1 = \square$

$3 + 1 = \square$

$6 - 1 = \square$

$5 + 1 = \square$

$2 - 1 = \square$

$6 + 1 = \square$

$8 - 1 = \square$

$8 + 1 = \square$

$4 - 1 = \square$

$$\begin{array}{r} 3 \\ +\ 1 \\ \hline \square \end{array} \quad \begin{array}{r} 7 \\ -\ 1 \\ \hline \square \end{array} \quad \begin{array}{r} 6 \\ +\ 1 \\ \hline \square \end{array} \quad \begin{array}{r} 2 \\ -\ 1 \\ \hline \square \end{array}$$

$$\begin{array}{r} 4 \\ -\ 1 \\ \hline \square \end{array} \quad \begin{array}{r} 5 \\ +\ 1 \\ \hline \square \end{array} \quad \begin{array}{r} 9 \\ -\ 1 \\ \hline \square \end{array} \quad \begin{array}{r} 8 \\ +\ 1 \\ \hline \square \end{array}$$

1 계산에 맞게 선을 그으세요.

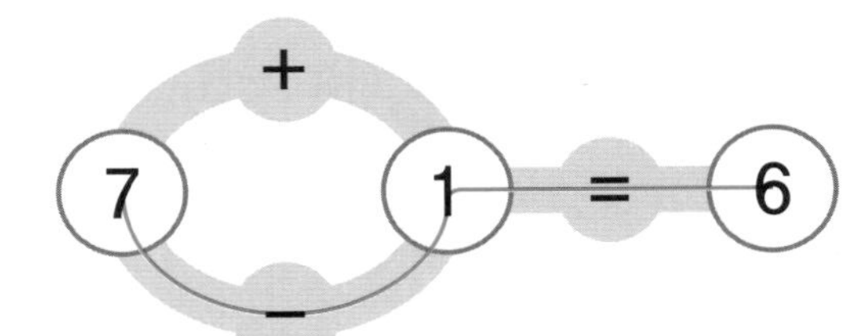


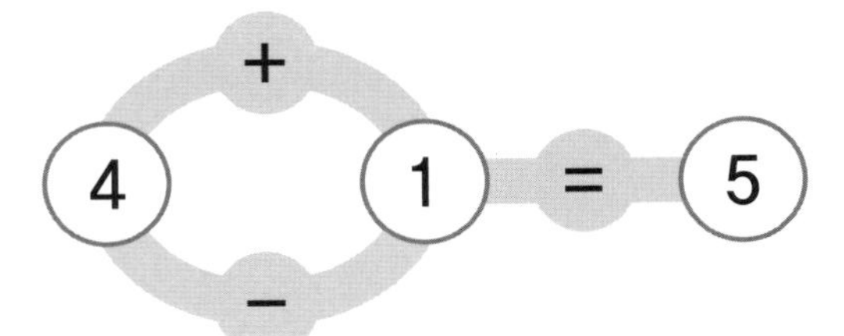


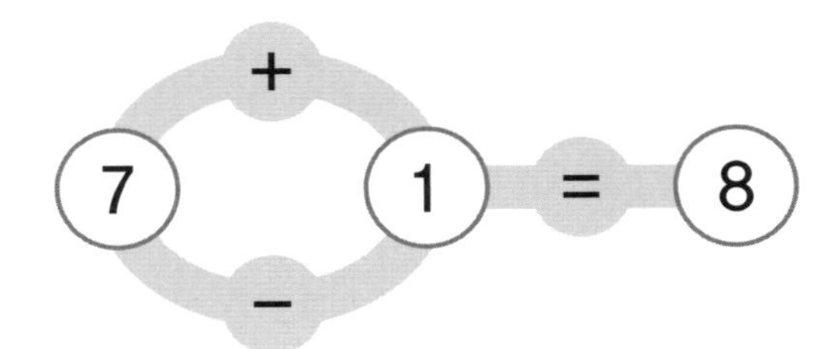


\+
8 1 = 7
−

2 세 수를 묶은 다음 +, −, =를 넣어 덧셈식 또는 뺄셈식을 만드세요.

6 (4 + 1 = 5) 3

8 1 7 4 2

2 1 3 5 7

6 2 1 5 6

1 2 8 1 9

2 4 1 3 1

## 3 그림에 맞게 덧셈식 또는 뺄셈식을 쓰세요.

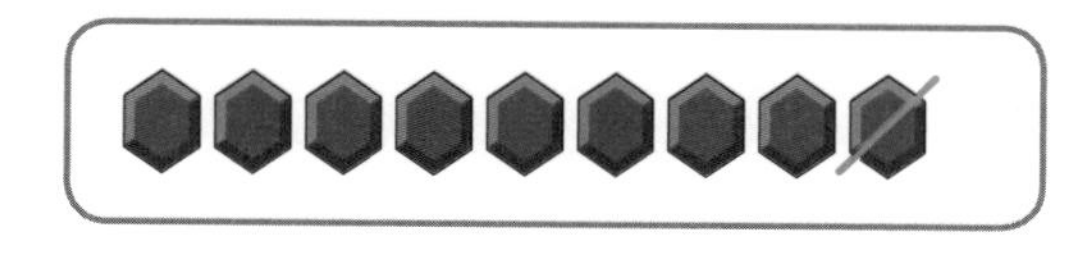

식 ______________________

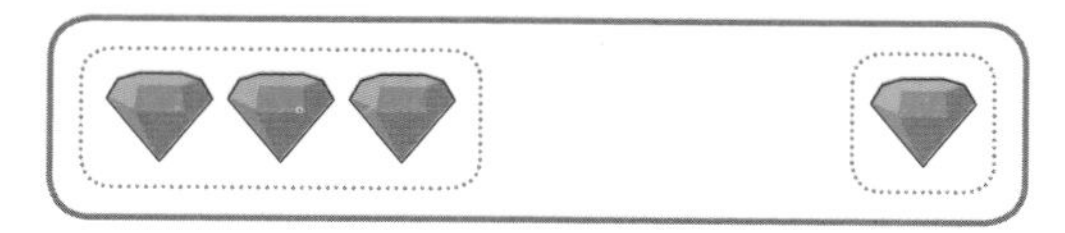

식 ______________________

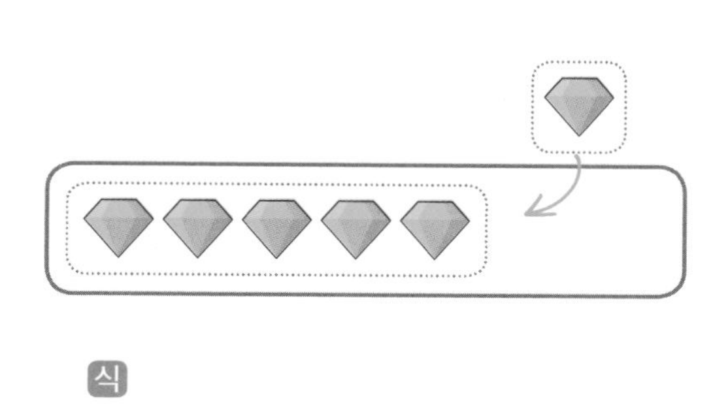

식 ______________________

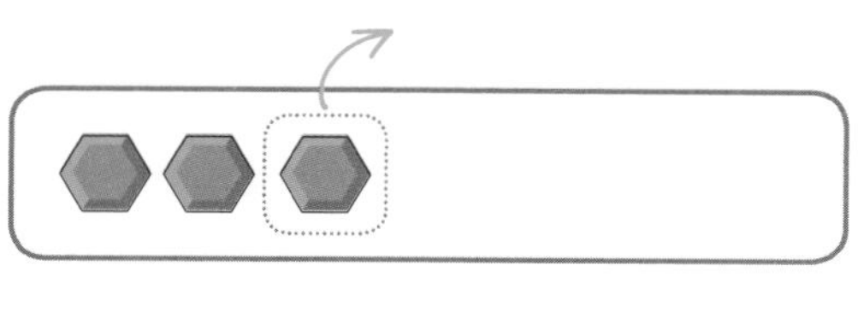

식 ______________________

## 4 그림을 보고 물음에 알맞은 식과 답을 쓰세요.

사과와 바나나는 모두 몇 개일까요?

식 ☐ + ☐ = ☐　　답 ☐ 개

사과는 바나나보다 몇 개 더 많을까요?

식 ☐ − ☐ = ☐　　답 ☐ 개

# □가 있는 더하기와 빼기 1

개념원리

수직선을 보고 □ 안에 알맞은 수를 써 봅시다.

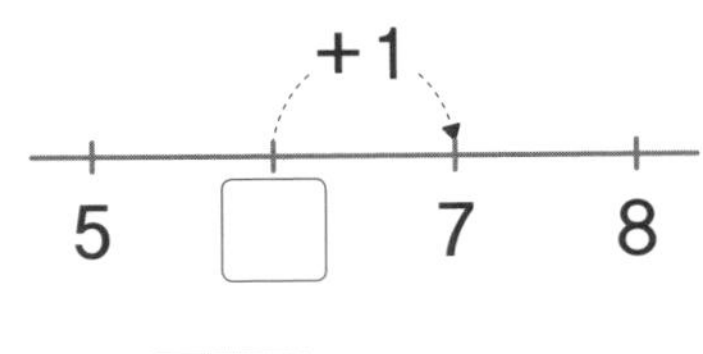

$4 + \boxed{1} = 5$

4에 □를 더하면 5입니다.
□는 1입니다.

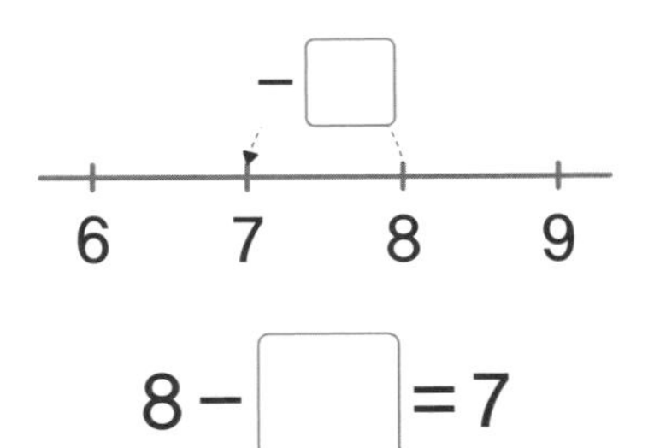

$\square + 1 = 7$

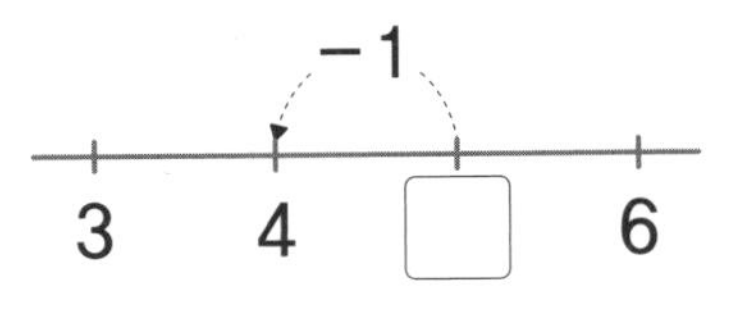

$\square - 1 = 4$

$8 - \square = 7$

$7 + \square = 8$

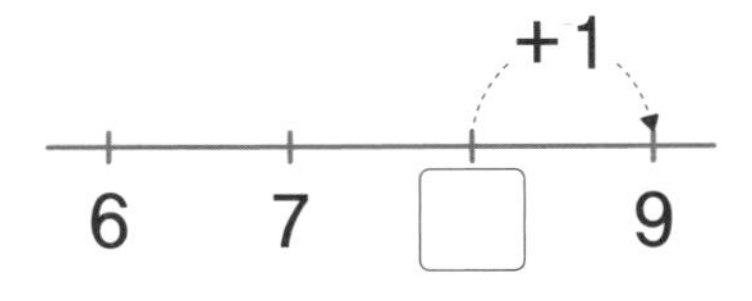

$\square + 1 = 9$

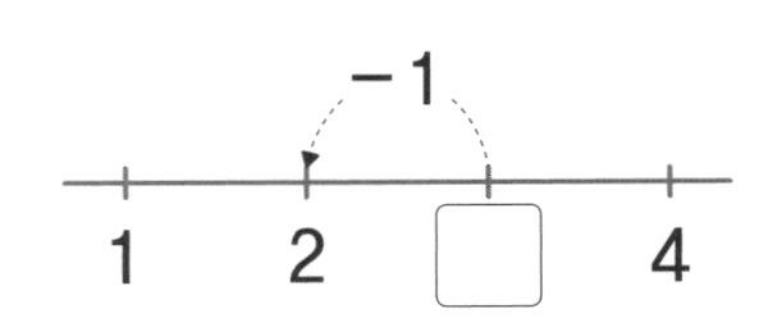

$\square - 1 = 2$

$\square - 1 = 6$

$6 + \square = 7$

$\square + 1 = 6$

$\square + 1 = 4$

$9 - \square = 8$

$\square - 1 = 7$

$\square - 1 = 5$

$2 + \square = 3$

$\square + 1 = 8$

$\square + 1 = 9$

$3 - \square = 2$

$\square - 1 = 3$

$$\begin{array}{r} 4 \\ - \ \square \\ \hline 3 \end{array} \qquad \begin{array}{r} 2 \\ + \ \square \\ \hline 3 \end{array} \qquad \begin{array}{r} 9 \\ - \ \square \\ \hline 8 \end{array} \qquad \begin{array}{r} 4 \\ + \ \square \\ \hline 5 \end{array}$$

$$\begin{array}{r} \square \\ + \ 1 \\ \hline 9 \end{array} \qquad \begin{array}{r} \square \\ - \ 1 \\ \hline 5 \end{array} \qquad \begin{array}{r} \square \\ + \ 1 \\ \hline 4 \end{array} \qquad \begin{array}{r} \square \\ - \ 1 \\ \hline 6 \end{array}$$

1 □ 안에 알맞은 수를 써넣고 같은 것끼리 연결하세요.

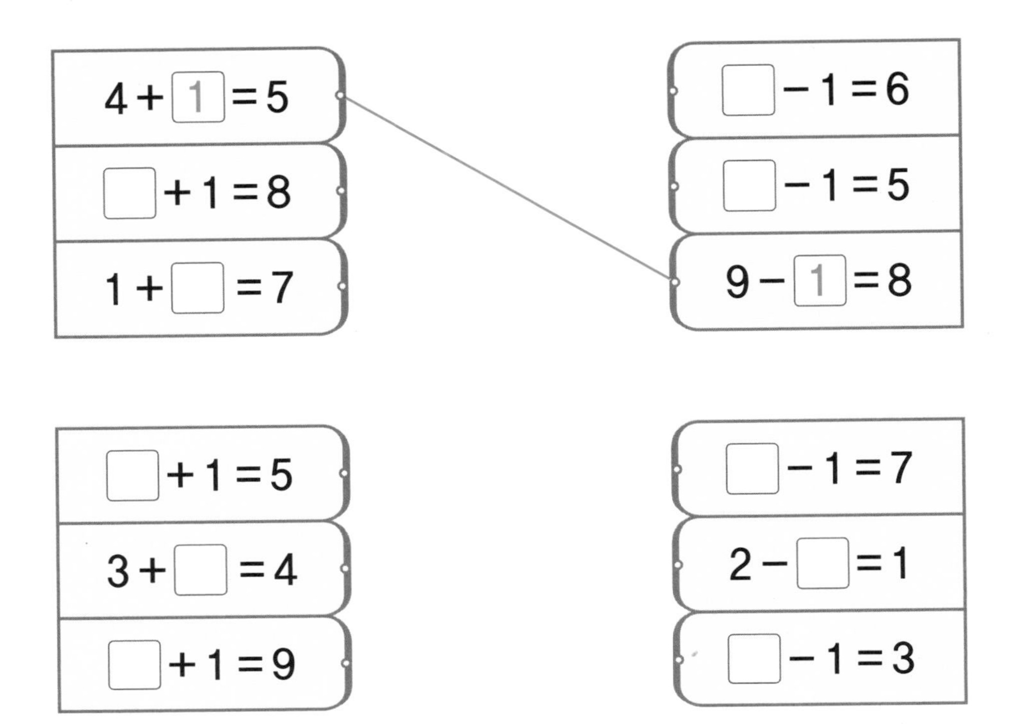


2 가로, 세로 방향으로 덧셈식과 뺄셈식이 성립하도록 빈 곳에 수를 채우세요.

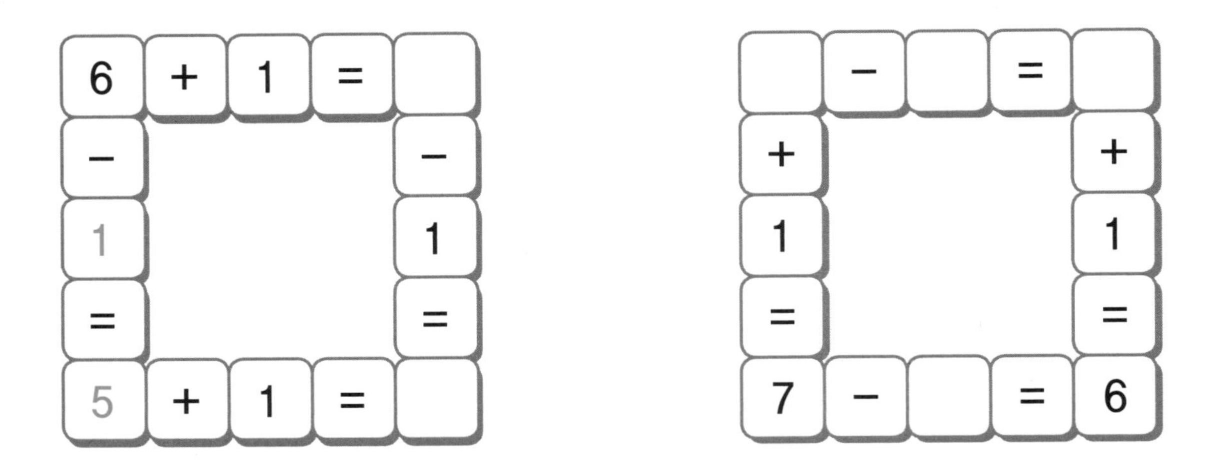

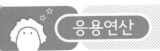

3 어떤 수를 □라 하여 식을 세웠습니다. 관계있는 것끼리 선으로 이으세요.

어떤 수보다 1 큰 수는 7입니다.

어떤 수보다 1 작은 수는 7입니다.

어떤 수에 1을 더했더니 6입니다.

어떤 수에서 1을 뺐더니 6입니다.

□−1=6

□+1=7

□−1=7

□+1=6

4 어떤 수를 구하세요.

어떤 수에 1을 더했더니 8입니다. 어떤 수는 얼마일까요? □

□+1=8

5에서 어떤 수를 뺐더니 4가 되었습니다. 어떤 수는 얼마일까요? □

5−□=4

5 □ 안에 알맞은 두 수를 찾아 모두 ◯표 하세요.

5는 □보다 1 크고, □보다 1 작습니다.

| 4 | 5 | 6 | 7 | 8 |
|---|---|---|---|---|

# 합과 차

두 수의 합과 차를 구해 봅시다.

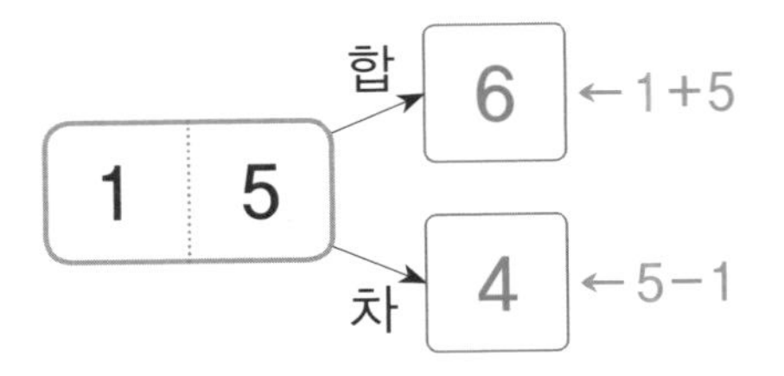


1과 5의 합은 1+5=6이고
1과 5의 차는 5−1=4입니다.
차는 큰 수에서 작은 수를 뺍니다.

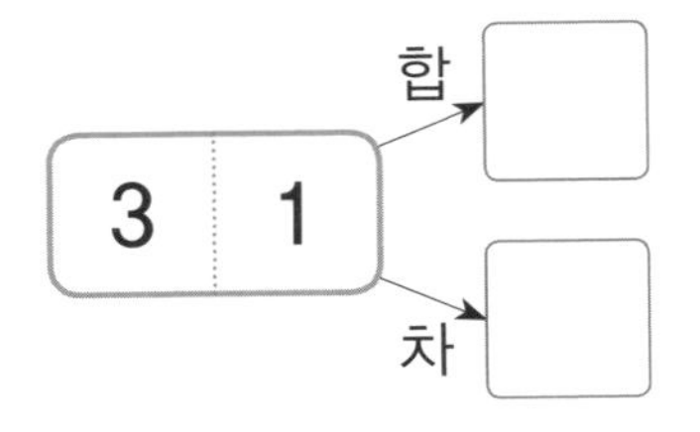


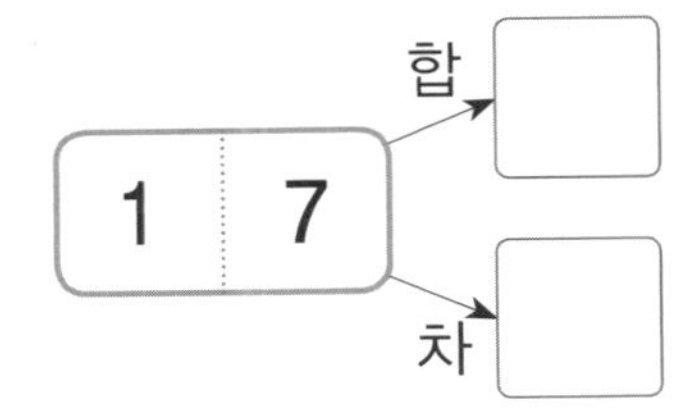


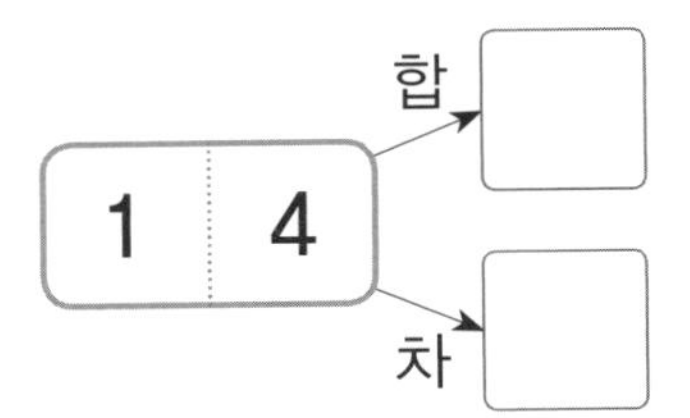


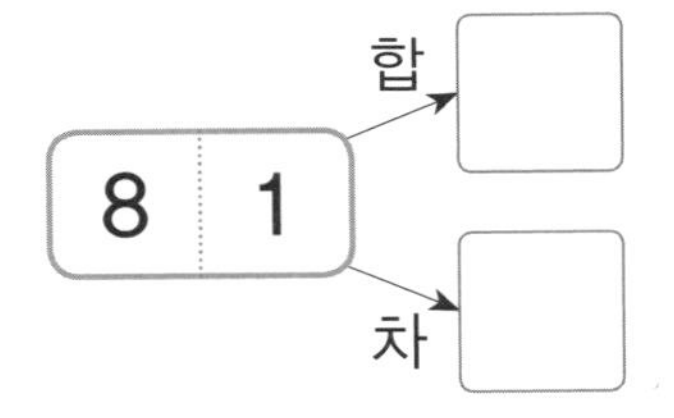


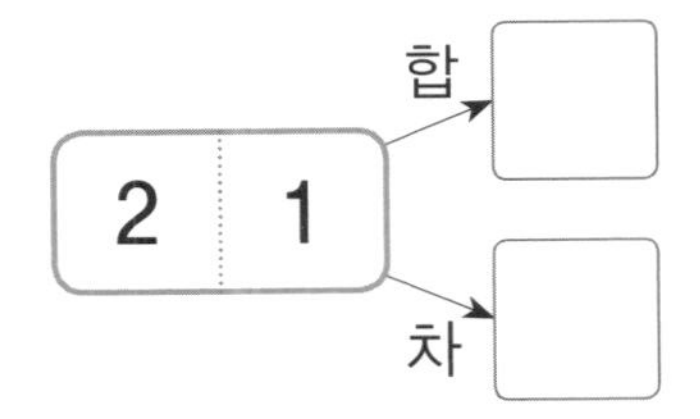


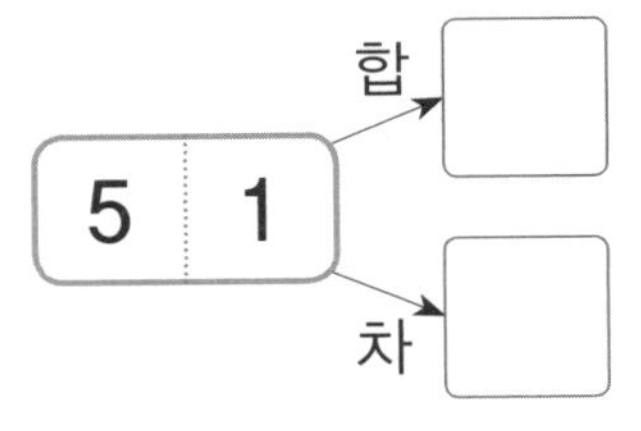


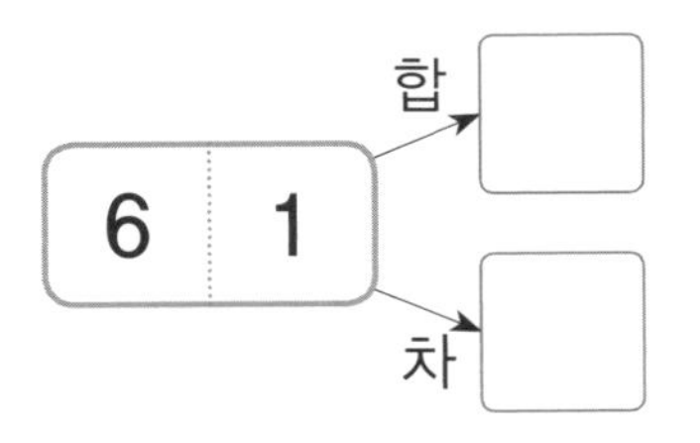


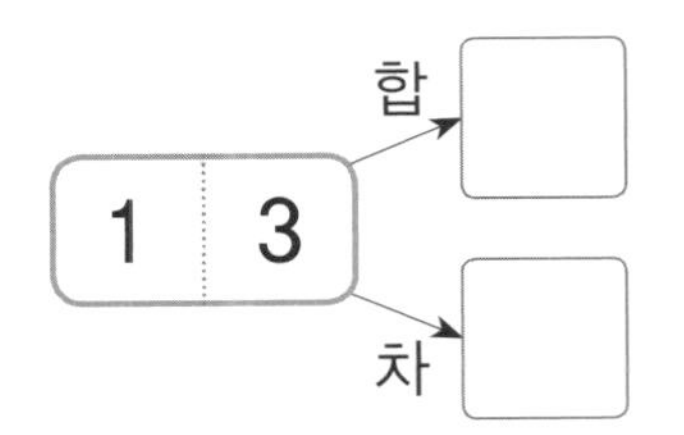


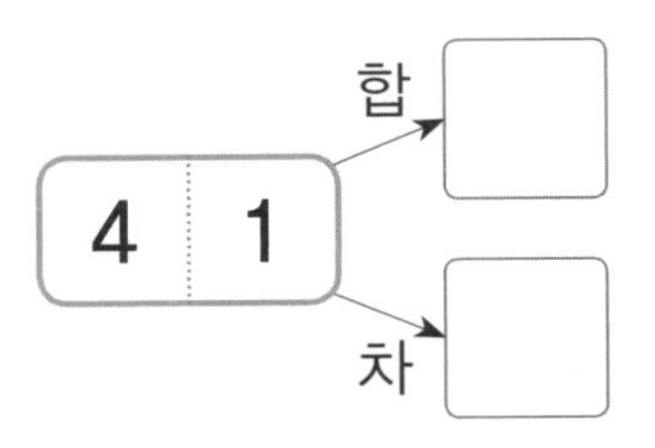

$5 + 1 = \square - 1$

$1 + \square = 8 - 1$

$3 + 1 = \square - 1$

$\square + 1 = 6 - 1$

$2 + 1 = \square - 1$

$\square + 1 = 8 - 1$

$1 + 7 = \square - 1$

$\square + 1 = 9 - 1$

$1 + 2 = \square - 1$

$\square + 1 = 7 - 1$

$6 + 1 = \square - 1$

$\square + 1 = 5 - 1$

$1 + \square = 7 - 1$

$\square + 1 = 3 - 1$

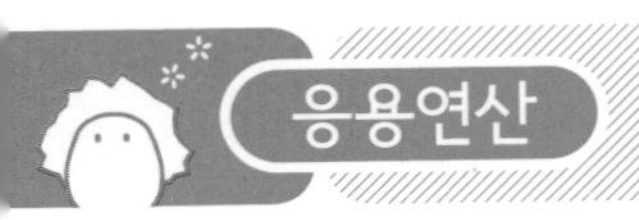

1 왼쪽은 두 수의 합, 오른쪽은 두 수의 차입니다. 두 수를 찾아 모두 ○표 하세요.

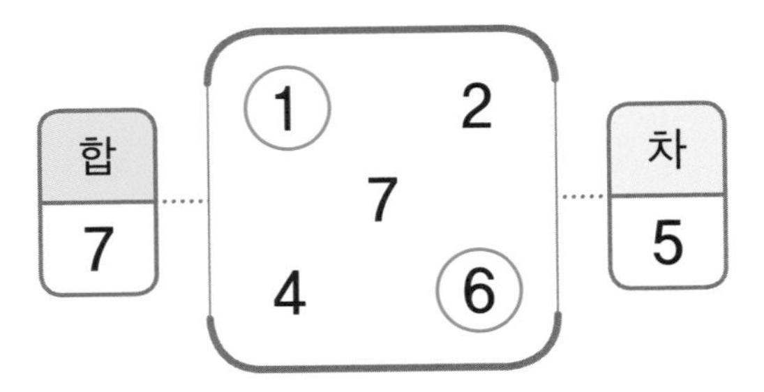


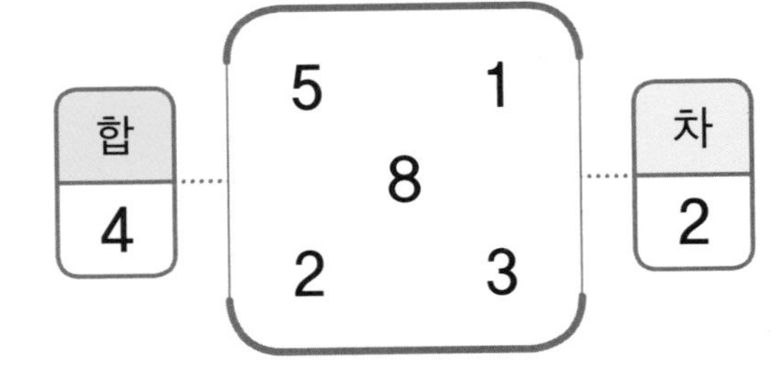


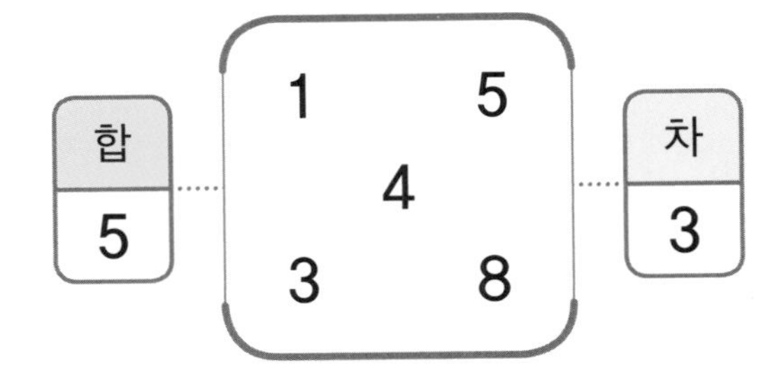


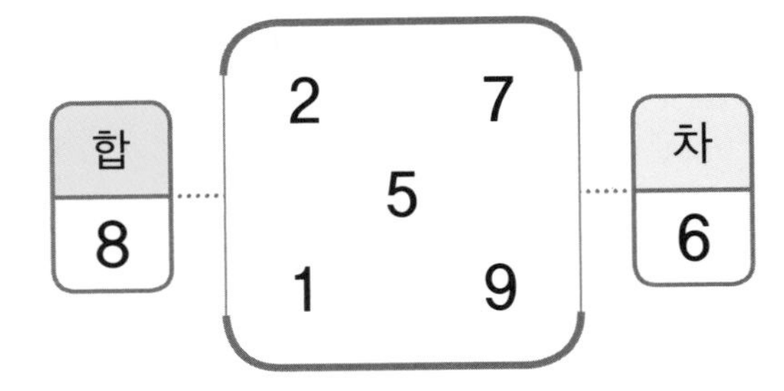


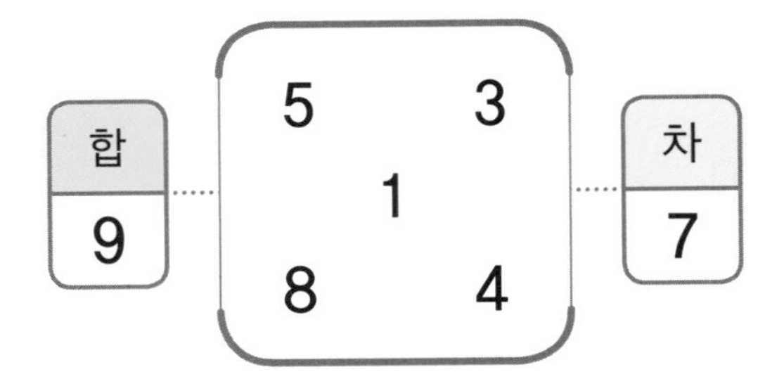


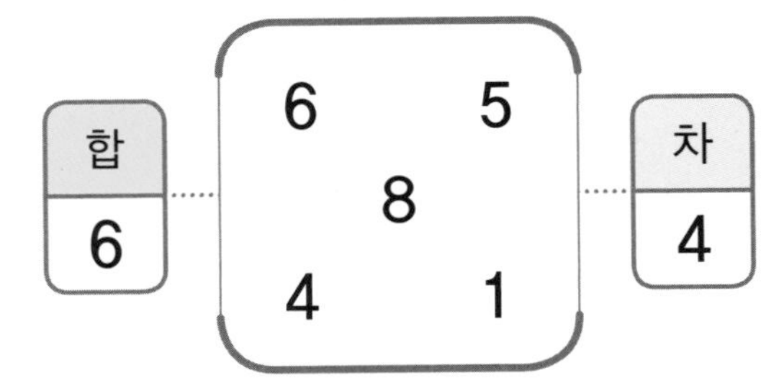


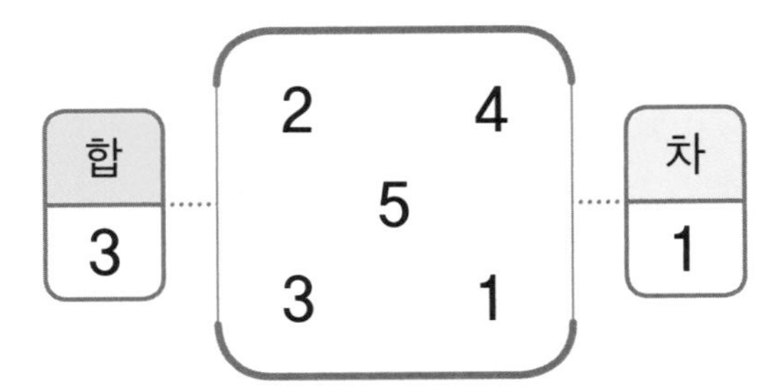


합 7 | 6 4 3 1 2 | 차 5

2 다음 두 수의 합과 차를 구하세요.

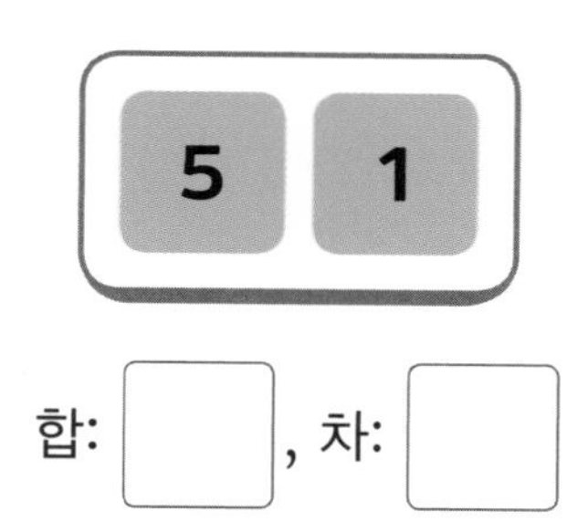


합: □, 차: □

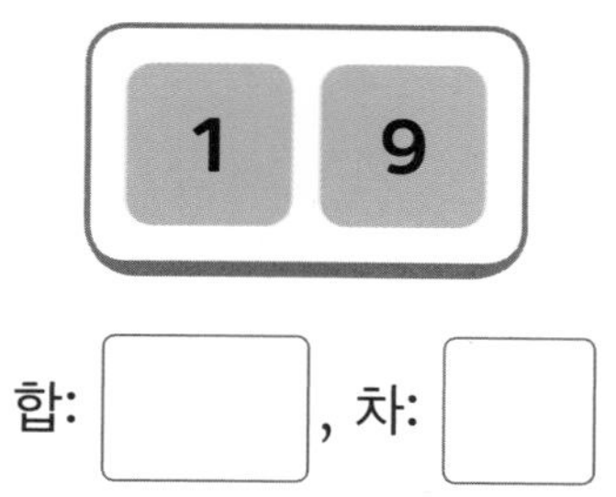


합: □, 차: □

3 합이 8인 두 수가 있습니다. 그중 한 수가 1입니다.

나머지 한 수는 얼마일까요? □

두 수의 차는 얼마일까요? □

4 차가 7인 두 수가 있습니다. 한 수가 1이라고 할 때 두 수의 합을 구하세요.

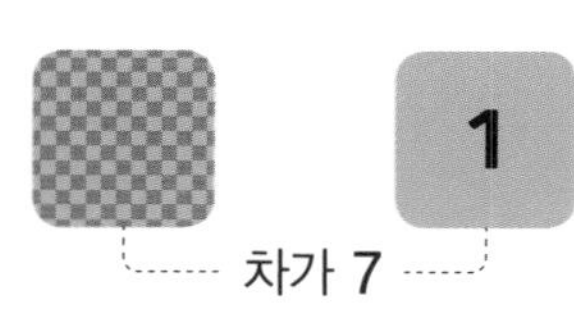


□

# 1을 두 번 계산하기

개념 원리

세 수의 계산을 해 봅시다.

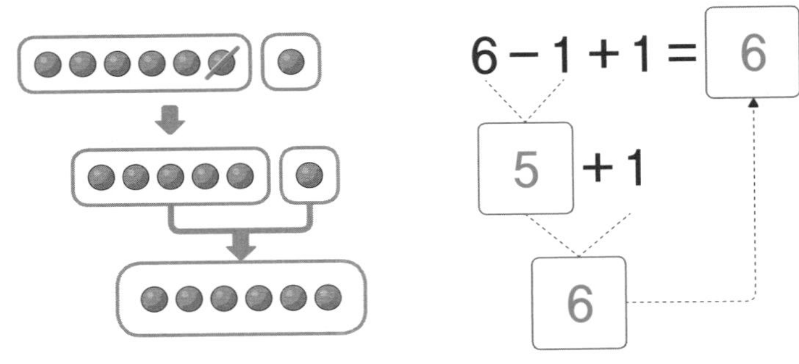


앞에서부터 차례대로 계산합니다. 6 빼기 1은 5, 5 더하기 1은 6입니다.

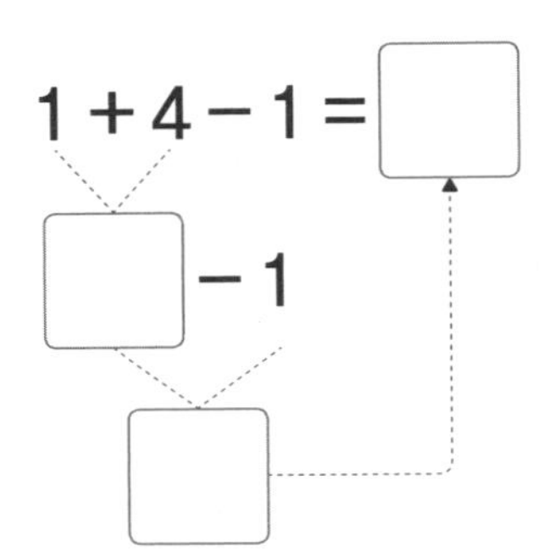


5 + 1 + 1 = □

□ + 1

□

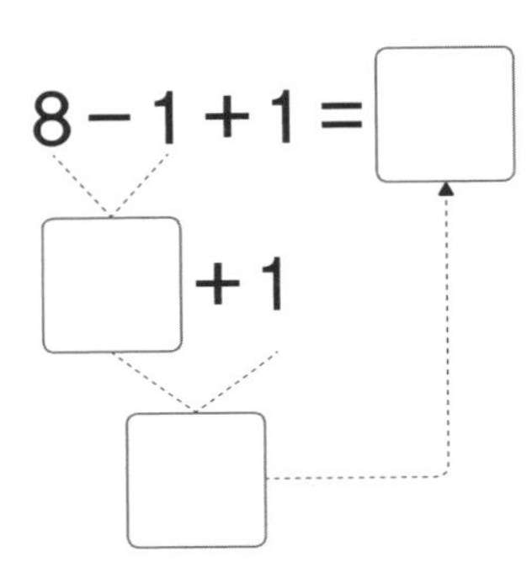


7 − 1 − 1 = □

□ − 1

□

1 + 3 + 1 = □

□ + 1

□

4 + 1 − 1 = □

□ − 1

□

$5+1-1=\square$ $1+6-1=\square$ $8-1-1=\square$

$9-1-1=\square$ $1+3+1=\square$ $4-1+1=\square$

$1+6+1=\square$ $4-1-1=\square$ $1+3+1=\square$

$1+4+1=\square$ $1+9-1=\square$ $7-1+1=\square$

$8+1-1=\square$ $3-1+1=\square$ $1+6+1=\square$

$1+2+1=\square$ $2+1-1=\square$ $7-1-1=\square$

1 계산 결과에 맞게 길을 그리세요.

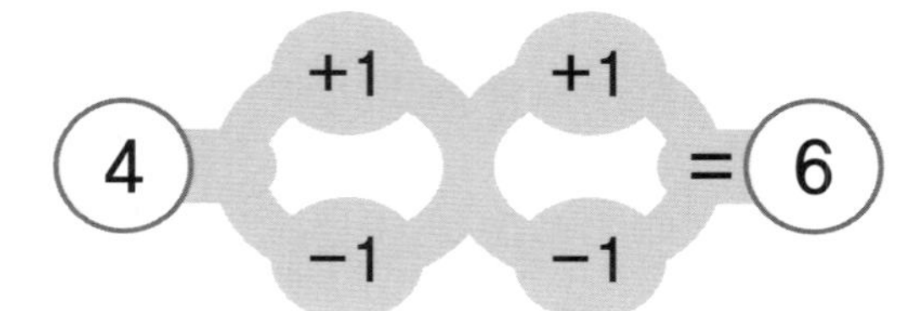


2 계산을 하여 □ 안에 알맞은 수를 쓰세요.

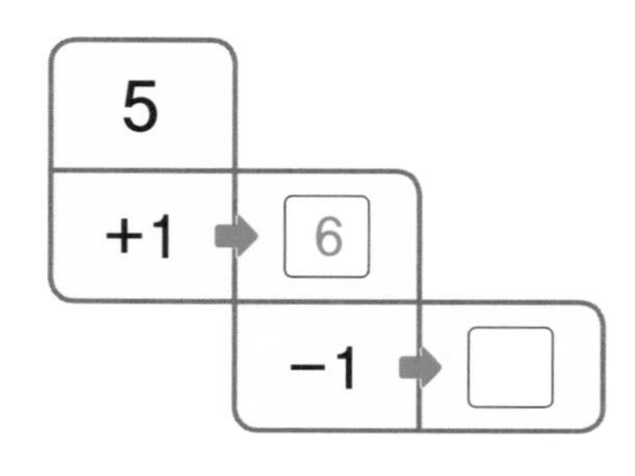


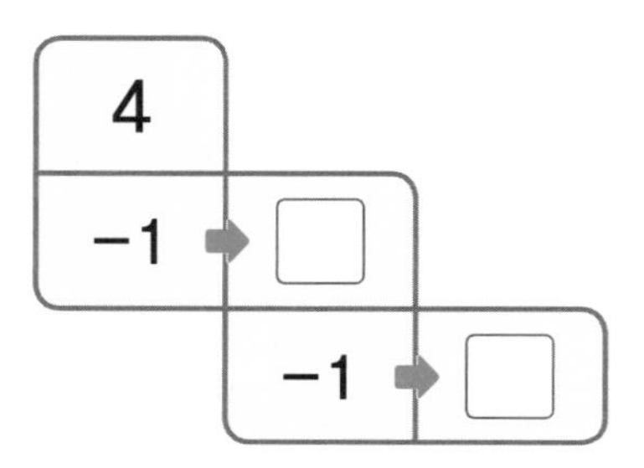


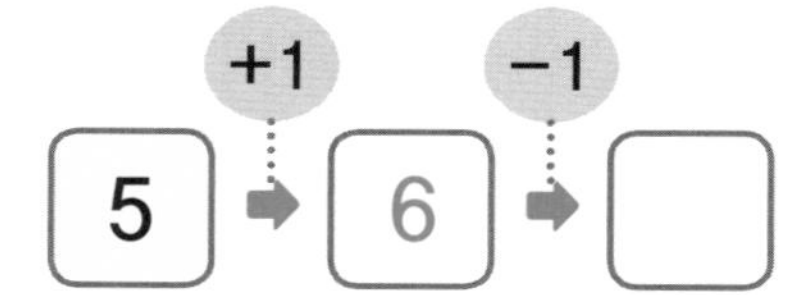


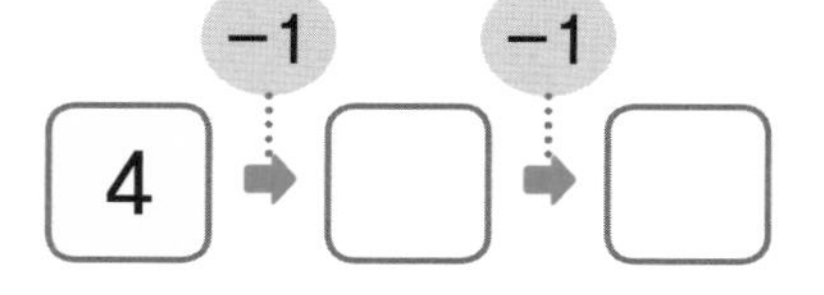


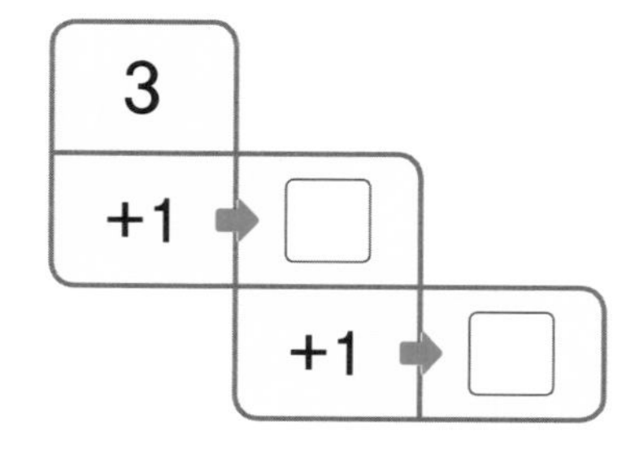


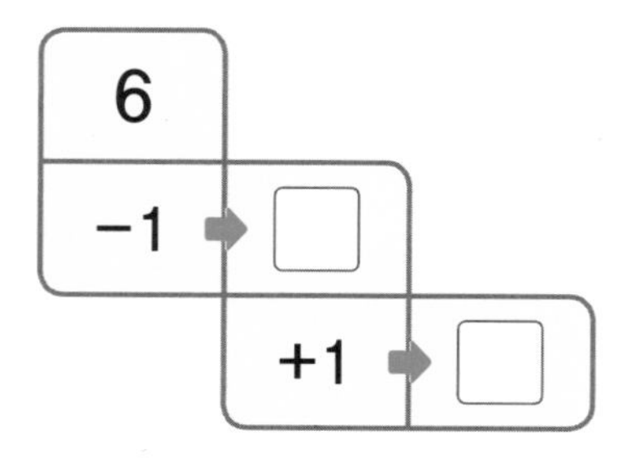


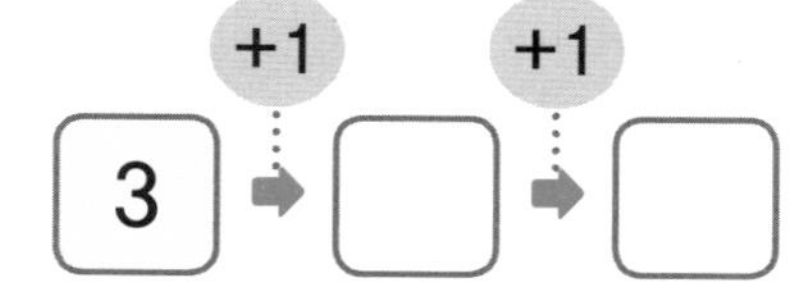


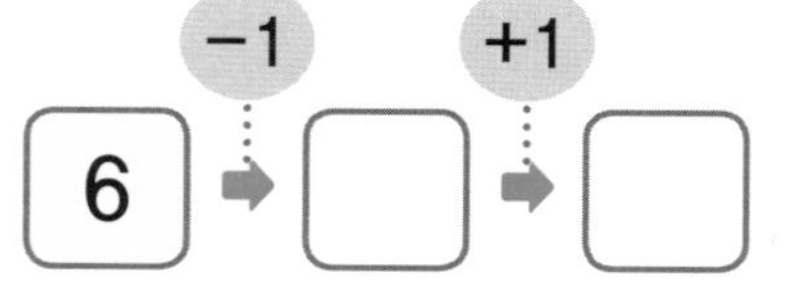

## 3 수 사이에 + 또는 −를 넣어 식을 완성하세요.

| | | | | | | | | | |
|---|---|---|---|---|---|---|---|---|---|
| 5 | 1 | 1 | = | 3 | 8 | 1 | 1 | = | 8 |
| 6 | 1 | 1 | = | 8 | 2 | 1 | 1 | = | 4 |
| 3 | 1 | 1 | = | 3 | 7 | 1 | 1 | = | 5 |

## 4 그림을 보고 식을 완성하세요.

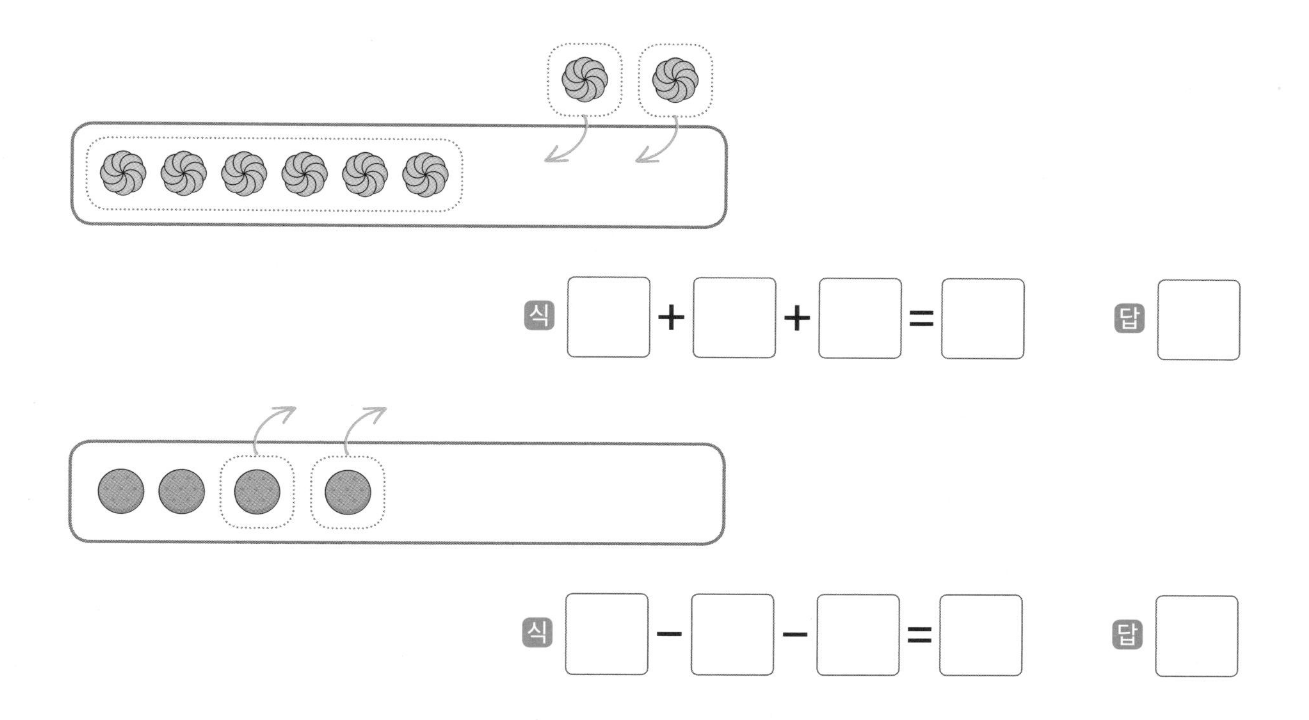

# 형성평가

1 계산에 맞게 선을 그으세요.

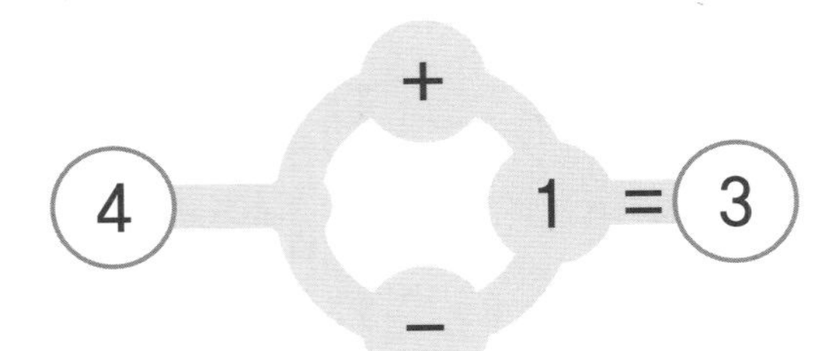


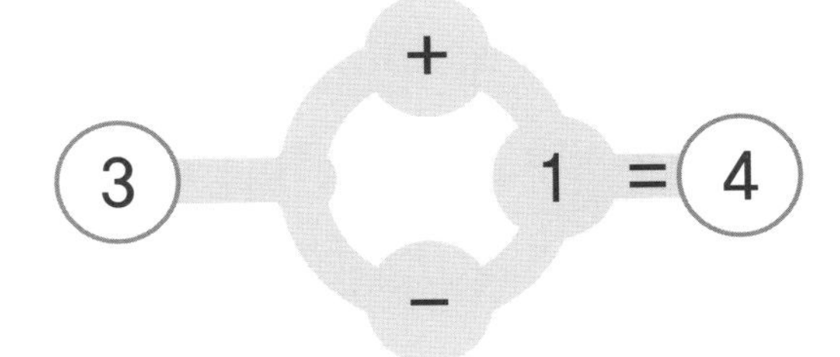


2 그림을 보고 알맞은 덧셈식 또는 뺄셈식을 쓰세요.

식 ______________________

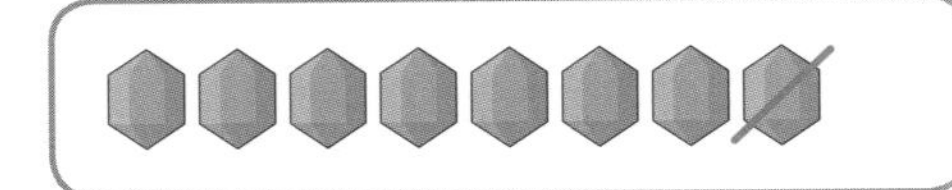

식 ______________________

3 □ 안에 알맞은 수를 써넣고 같은 것끼리 연결하세요.

| |
|---|
| □ + 1 = 8 |
| □ + 1 = 7 |
| 3 + □ = 4 |

| |
|---|
| 4 − □ = 3 |
| □ − 1 = 6 |
| □ − 1 = 5 |

4 어떤 수를 구하세요.

어떤 수에 1을 더했더니 6입니다. 어떤 수는 얼마일까요?

□+1=6

10에서 어떤 수를 뺐더니 9가 되었습니다. 어떤 수는 얼마일까요?

10−□=9

5 왼쪽은 두 수의 합, 오른쪽은 두 수의 차입니다. 두 수를 찾아 모두 ◯표 하세요.

| 합 |
|---|
| 5 |

2 5 1 3 4

| 차 |
|---|
| 3 |

6 합이 4인 두 수가 있습니다. 한 수가 1이라고 할 때 두 수의 차를 구하세요.

□ 1

합이 4

7 계산을 하세요.

$5+1-1=\square$  $6-1-1=\square$

$1+7+1=\square$  $7-1+1=\square$

8 계산을 하여 □ 안에 알맞은 수를 쓰세요.

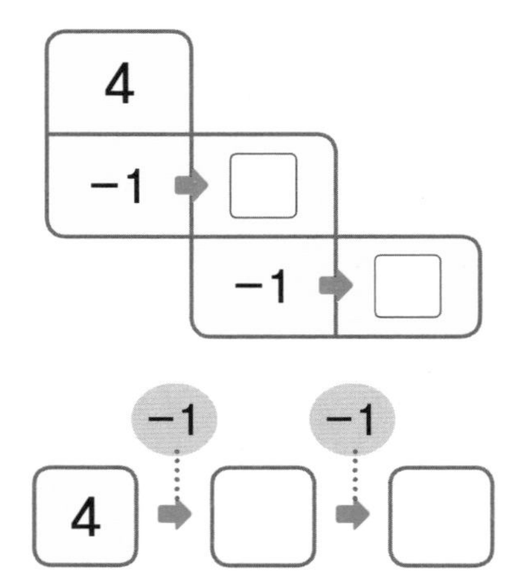


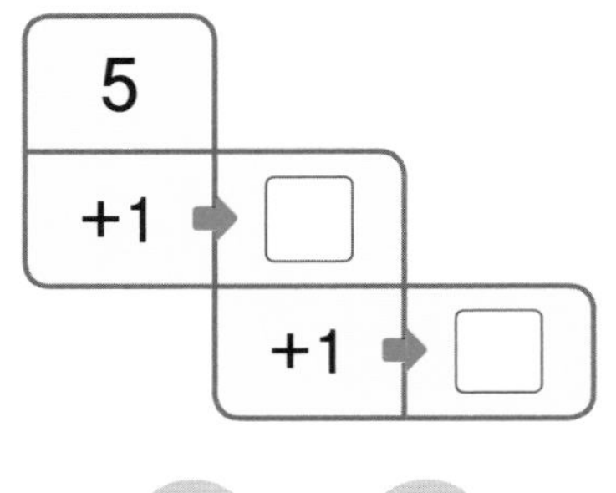


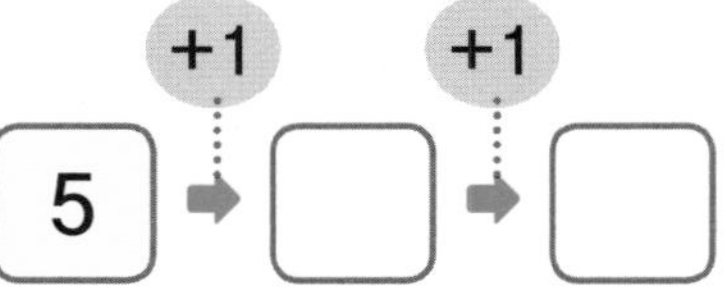


9 그림을 보고 식을 완성하세요.

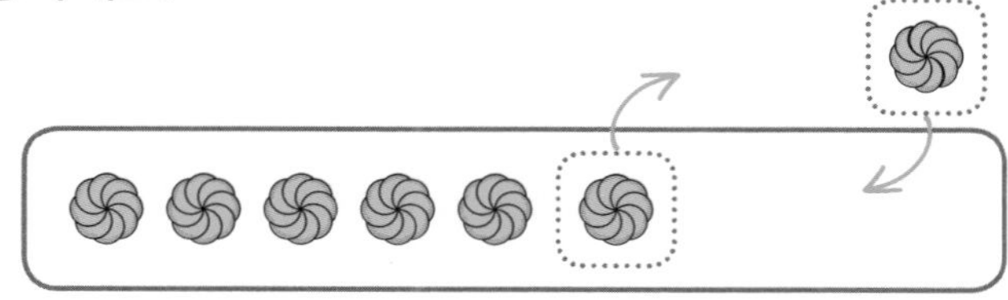

식 $\square-\square+\square=\square$  답 □

상위권으로 가는 문제 해결 연산 학습지

S1
6~7세

10까지의 수에서 더하기, 빼기 1

S1
10까지의 수에서 더하기, 빼기 1
6~7세
정답 및 길잡이

# 10까지의 수

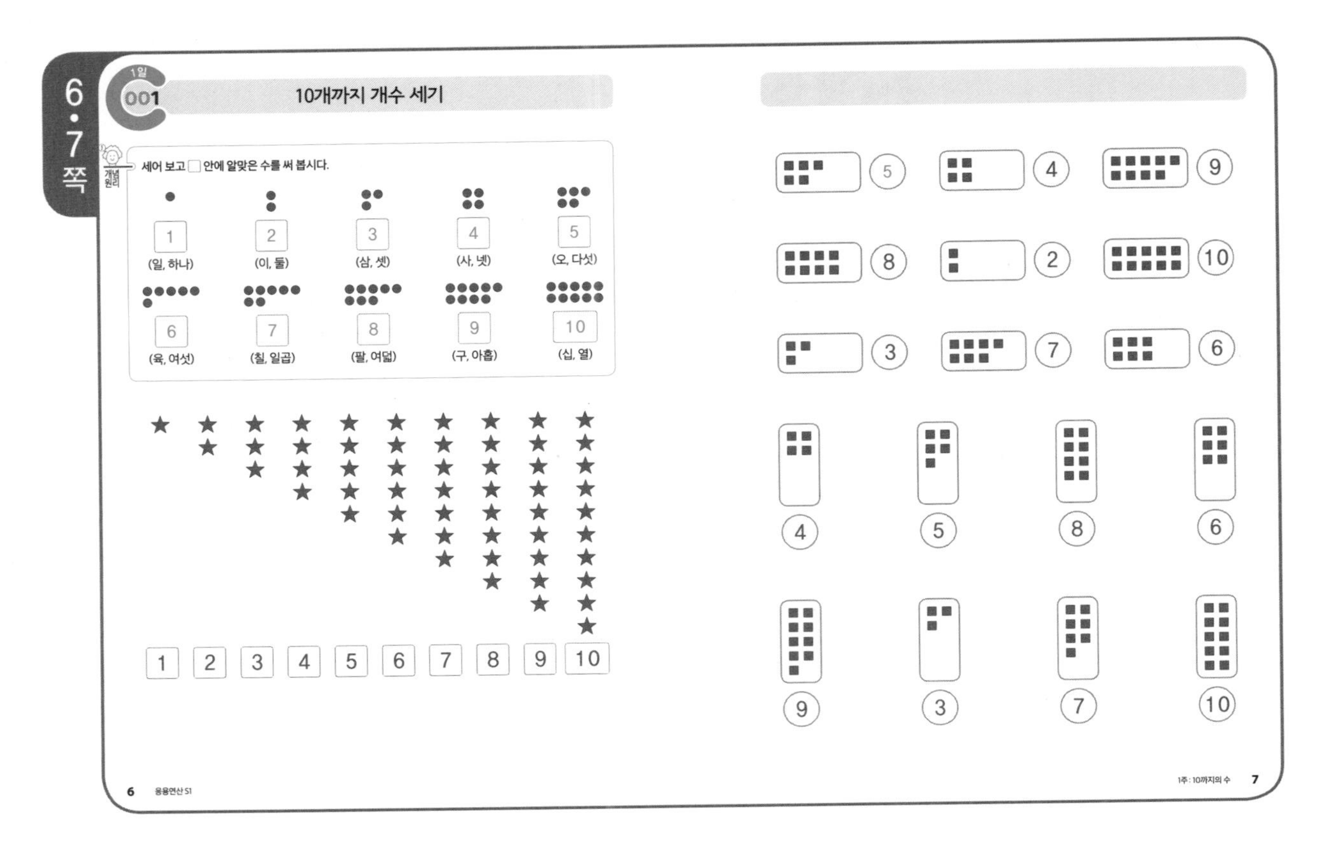
6·7쪽
1일
001
10개까지 개수 세기
개념원리
세어 보고 □ 안에 알맞은 수를 써 봅시다.
1
(일, 하나)
2
(이, 둘)
3
(삼, 셋)
4
(사, 넷)
5
(오, 다섯)
6
(육, 여섯)
7
(칠, 일곱)
8
(팔, 여덟)
9
(구, 아홉)
10
(십, 열)
1 2 3 4 5 6 7 8 9 10
5 4 9
8 2 10
3 7 6
4 5 8 6
9 3 7 10
6 응용연산 S1
1주 : 10까지의 수 7

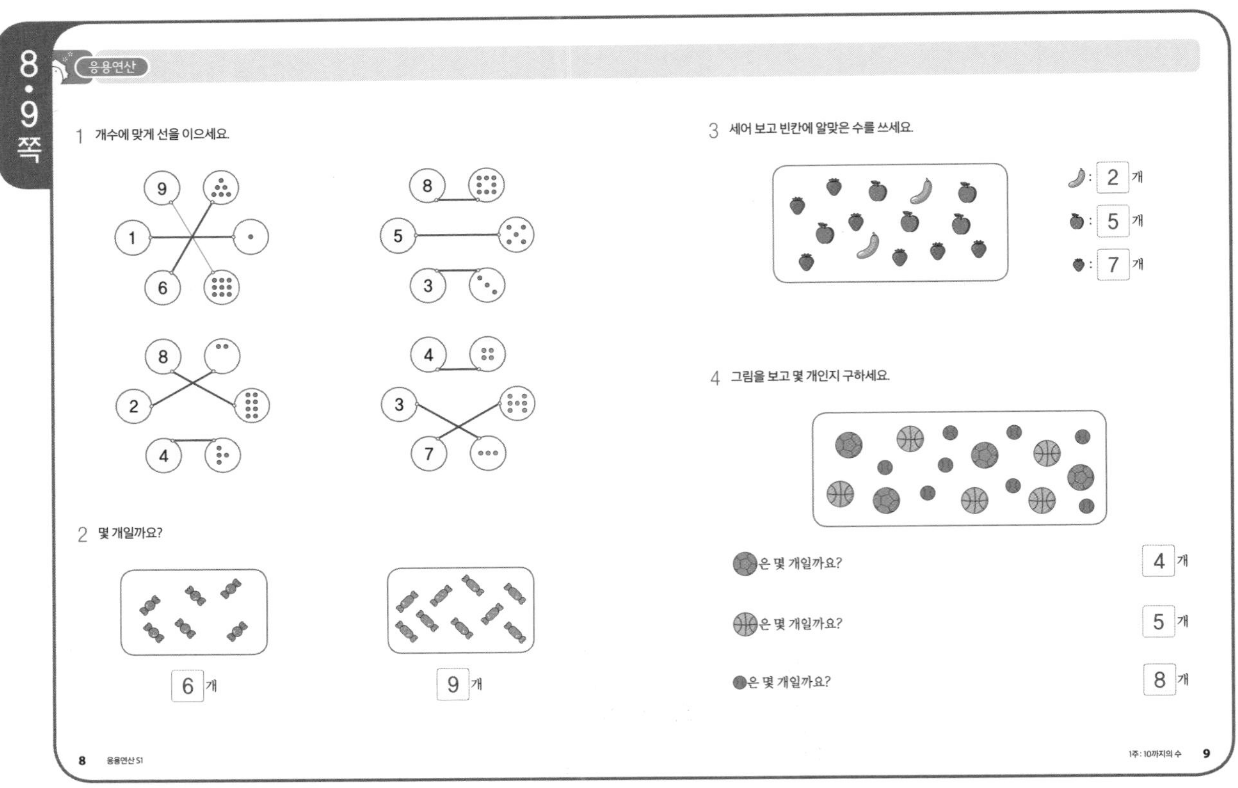
8·9쪽
응용연산
1 개수에 맞게 선을 이으세요.
2 몇 개일까요?
6 개
9 개
3 세어 보고 빈칸에 알맞은 수를 쓰세요.
2 개
5 개
7 개
4 그림을 보고 몇 개인지 구하세요.
은 몇 개일까요? 4 개
은 몇 개일까요? 5 개
은 몇 개일까요? 8 개
8 응용연산 S1
1주 : 10까지의 수 9

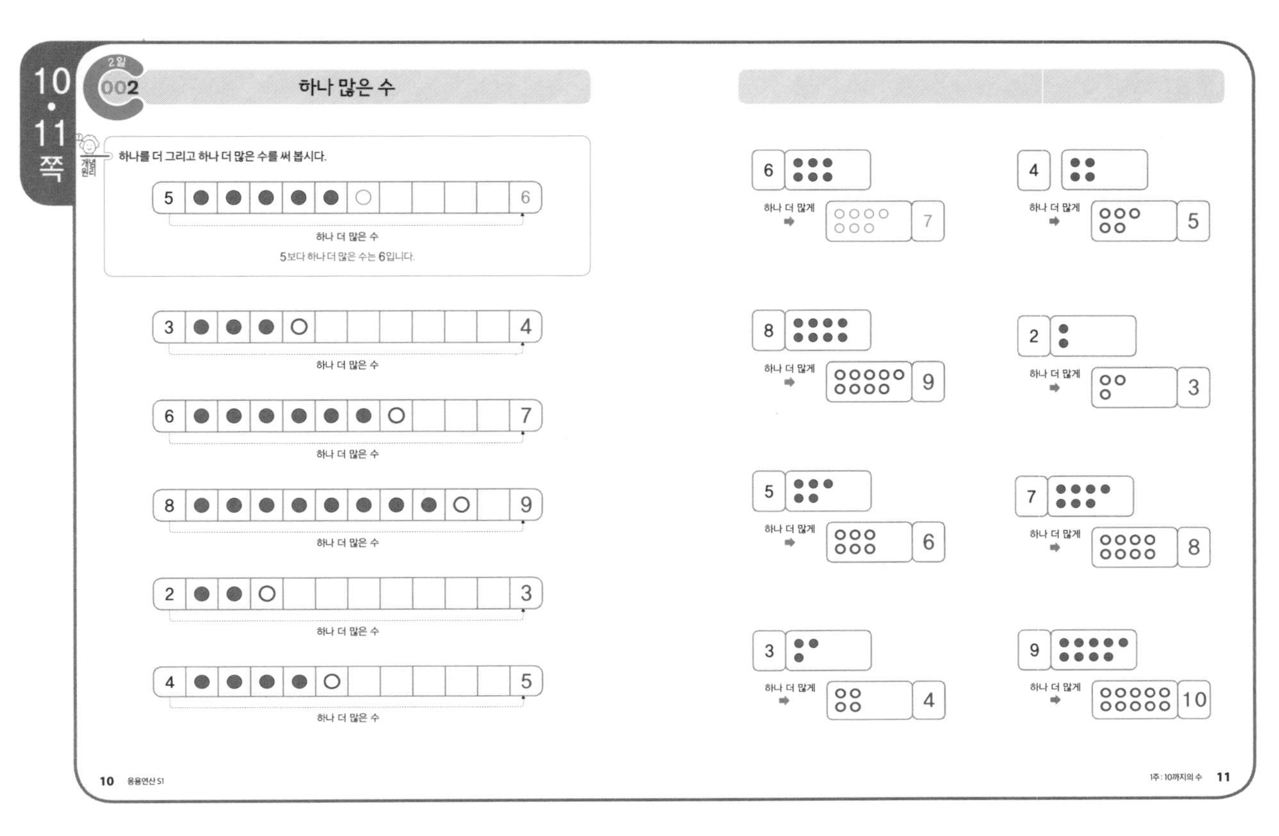
10·11쪽
2일
002
하나 많은 수
개념 원리
하나를 더 그리고 하나 더 많은 수를 써 봅시다.
하나 더 많은 수
5보다 하나 더 많은 수는 6입니다.
하나 더 많게
10 응용연산 S1
1주 : 10까지의 수 11

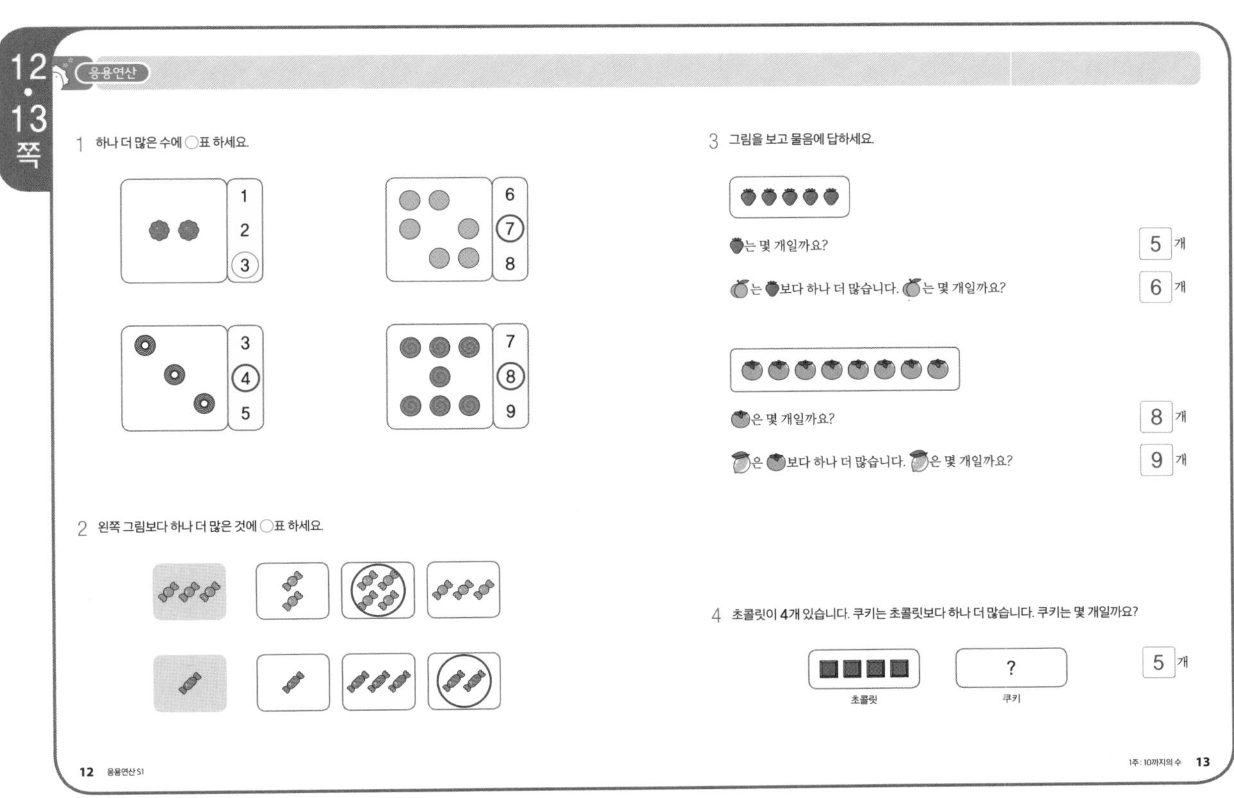
12·13쪽
응용연산
1 하나 더 많은 수에 ○표 하세요.
2 왼쪽 그림보다 하나 더 많은 것에 ○표 하세요.
3 그림을 보고 물음에 답하세요.
는 몇 개일까요?
는 보다 하나 더 많습니다. 는 몇 개일까요?
은 몇 개일까요?
은 보다 하나 더 많습니다. 은 몇 개일까요?
4 초콜릿이 4개 있습니다. 쿠키는 초콜릿보다 하나 더 많습니다. 쿠키는 몇 개일까요?
초콜릿
쿠키
12 응용연산 S1
1주 : 10까지의 수 13

## 14 · 15 쪽

3일 003 앞으로 세기

개념원리

1부터 앞으로 세어 빈칸에 알맞은 수를 써 봅시다.

1 → 2 → 3 → 4 → 5 → 6 → 7 → 8 → 9 → 10

1부터 앞으로 세면 '일 이 삼 사 오 육 칠 팔 구 십'입니다.

1 → 2 → 3 → 4 → 5 → 6 → 7 → 8 → 9 → 10

1 → 2 → 3 → 4 → 5 → 6 → 7 → 8 → 9 → 10

1 → 2 → 3 → 4 → 5 → 6 → 7 → 8 → 9 → 10

1 → 2 → 3 → 4 → 5 → 6 → 7 → 8 → 9 → 10

1 → 2 → 3 → 4 → 5 → 6 → 7 → 8 → 9 → 10

3 - 4 - 5 - 6　　6 - 7 - 8 - 9

5 - 6 - 7 - 8　　2 - 3 - 4 - 5

1 - 2 - 3 - 4　　4 - 5 - 6 - 7

2 - 3 - 4 - 5　　3 - 4 - 5 - 6

5 - 6 - 7 - 8　　1 - 2 - 3 - 4

6 - 7 - 8 - 9　　4 - 5 - 6 - 7





## 16 · 17 쪽

응용연산

1 1부터 앞으로 세어 차례로 선을 이으세요.

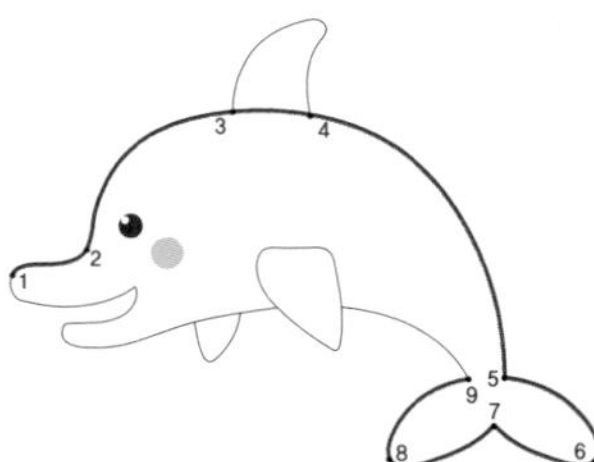


2 ○ 안의 수를 사용하여 차례로 앞으로 세어 보세요.

6, 5, 4, 2, 3 → 2 - 3 - 4 - 5 - 6

8, 5, 6, 7, 4 → 4 - 5 - 6 - 7 - 8

7, 9, 5, 8, 6 → 5 - 6 - 7 - 8 - 9

5, 3, 2, 6, 4 → 2 - 3 - 4 - 5 - 6

3 앞으로 세어 차례로 이으세요.

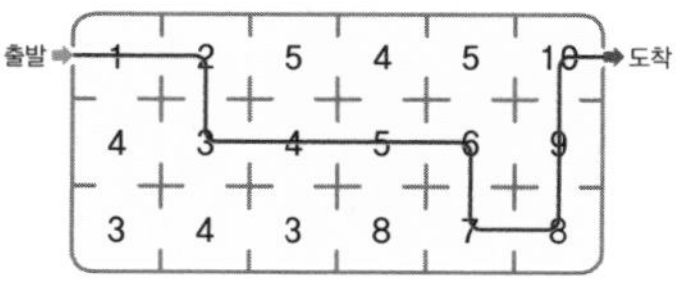


4 앞으로 세었습니다. 6 다음 수에 ○표 하고 수를 쓰세요.

1 2 3 4 5 6 ⑦ 8 9 10　　7

5 앞으로 셀 때 4 다음 수는 얼마일까요?　　5

6 1부터 앞으로 5번 세었습니다. 마지막에 센 수는 얼마일까요?

1 2 3 4 5 6 (1번 2번 3번 4번 5번)　　6

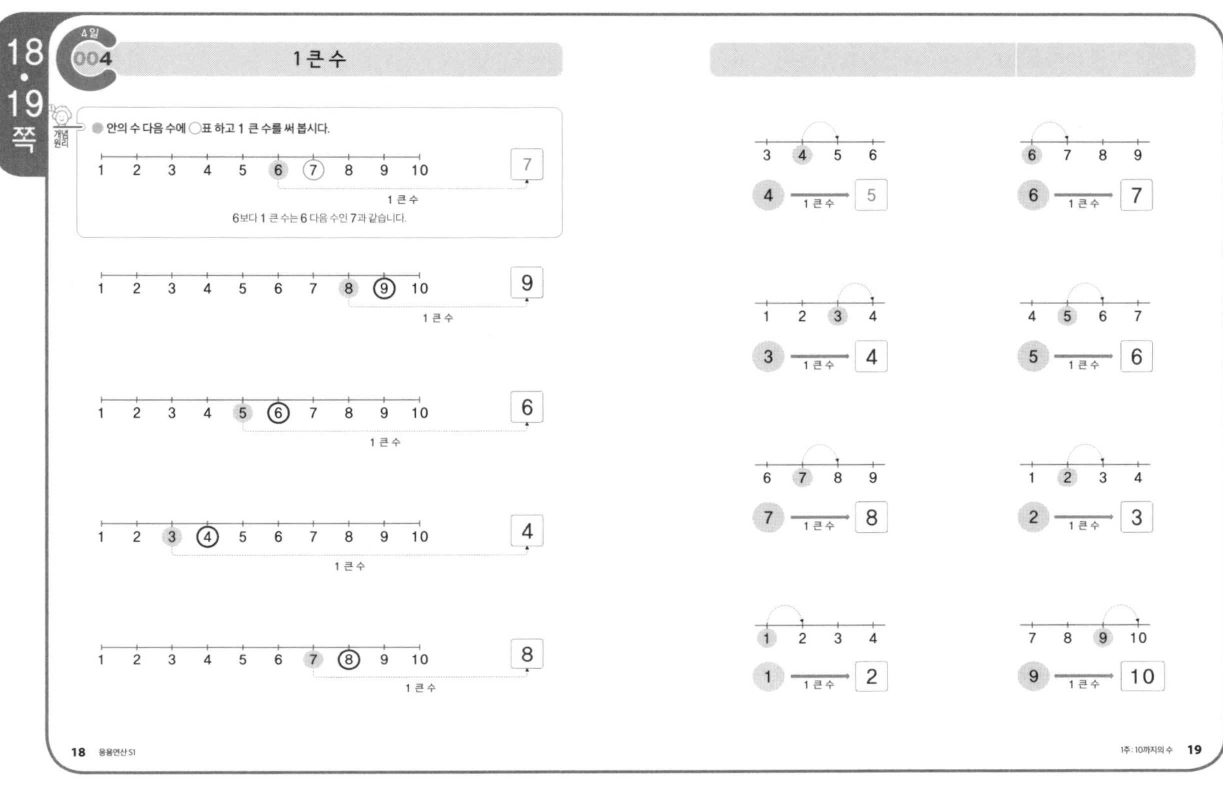
18·19쪽
4일
004
1 큰 수
개념원리
● 안의 수 다음 수에 ◯표 하고 1 큰 수를 써 봅시다.
6보다 1 큰 수는 6 다음 수인 7과 같습니다.
1 큰 수
18 응용연산 S1
1주 : 10까지의 수 19

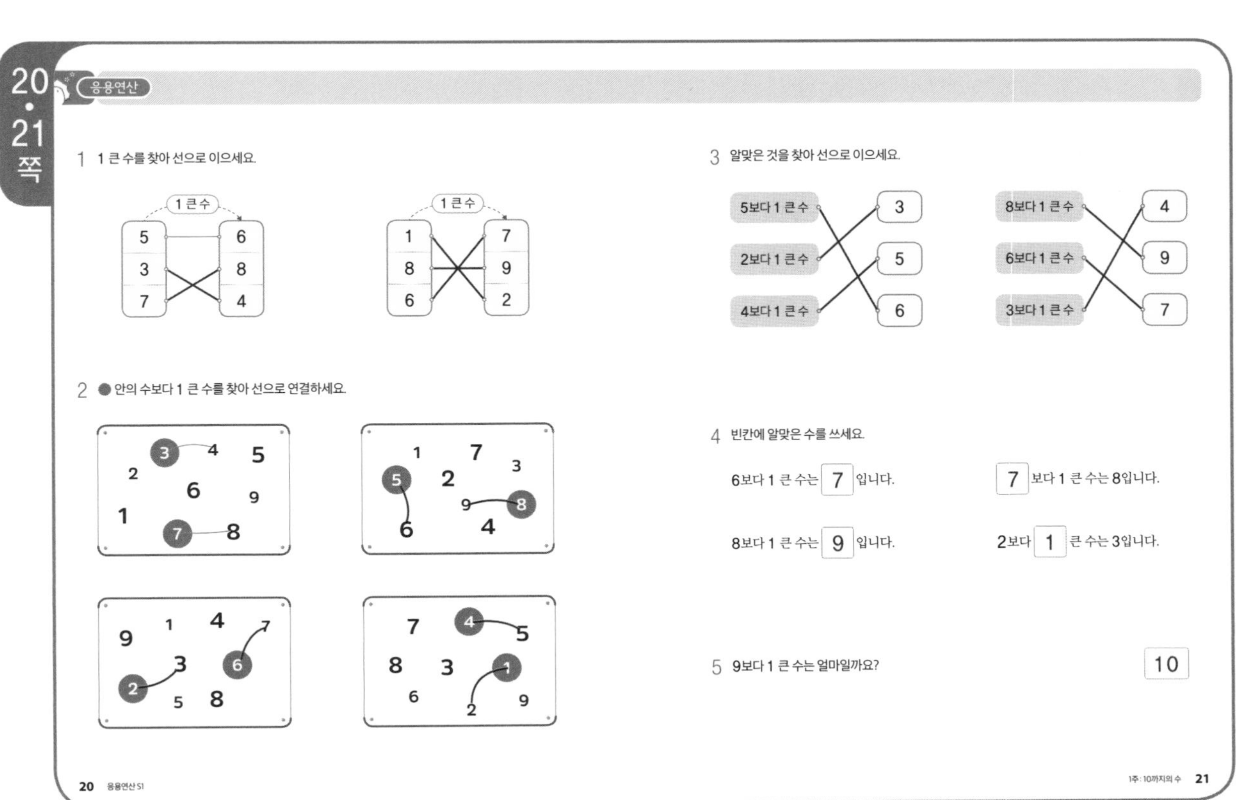
20·21쪽
응용연산
1 1 큰 수를 찾아 선으로 이으세요.
2 ● 안의 수보다 1 큰 수를 찾아 선으로 연결하세요.
3 알맞은 것을 찾아 선으로 이으세요.
5보다 1 큰 수
2보다 1 큰 수
4보다 1 큰 수
8보다 1 큰 수
6보다 1 큰 수
3보다 1 큰 수
4 빈칸에 알맞은 수를 쓰세요.
6보다 1 큰 수는 7 입니다.
7 보다 1 큰 수는 8입니다.
8보다 1 큰 수는 9 입니다.
2보다 1 큰 수는 3입니다.
5 9보다 1 큰 수는 얼마일까요?
10
20 응용연산 S1
1주 : 10까지의 수 21

22 • 23 쪽

5일 형성평가

1 개수에 맞게 선을 이으세요.

2 몇 개인지 구하세요.

바나나: 4 개
사과: 4 개
딸기: 9 개

3 하나 더 많은 수에 ○표 하세요.

4 왼쪽 그림보다 하나 더 많은 것에 ○표 하세요.

5 그림을 보고 물음에 답하세요.

토마토는 몇 개일까요? 6 개

사과는 토마토보다 하나 더 많습니다. 사과는 몇 개일까요? 7 개

6 ○ 안의 수를 사용하여 차례로 앞으로 세어 보세요.

9 5 7 6 8 → 5 6 7 8 9

4 6 5 3 2 → 2 3 4 5 6

22 응용연산 S1 · 1주 : 10까지의 수 23

24 쪽

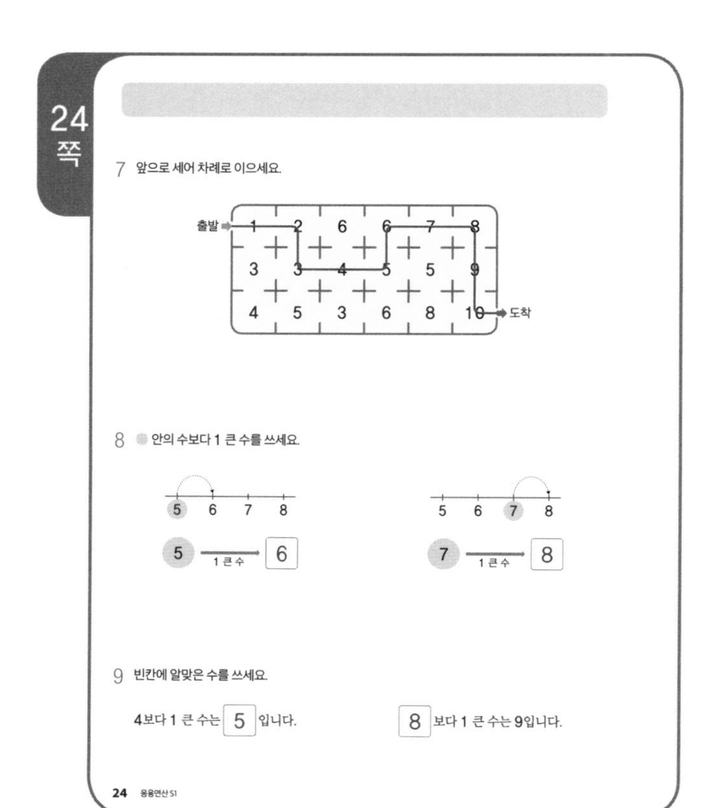

7 앞으로 세어 차례로 이으세요.
출발
도착
8 안의 수보다 1 큰 수를 쓰세요.
1 큰 수
9 빈칸에 알맞은 수를 쓰세요.
4보다 1 큰 수는 5 입니다.
8 보다 1 큰 수는 9입니다.
24 응용연산 S1

# 더하기

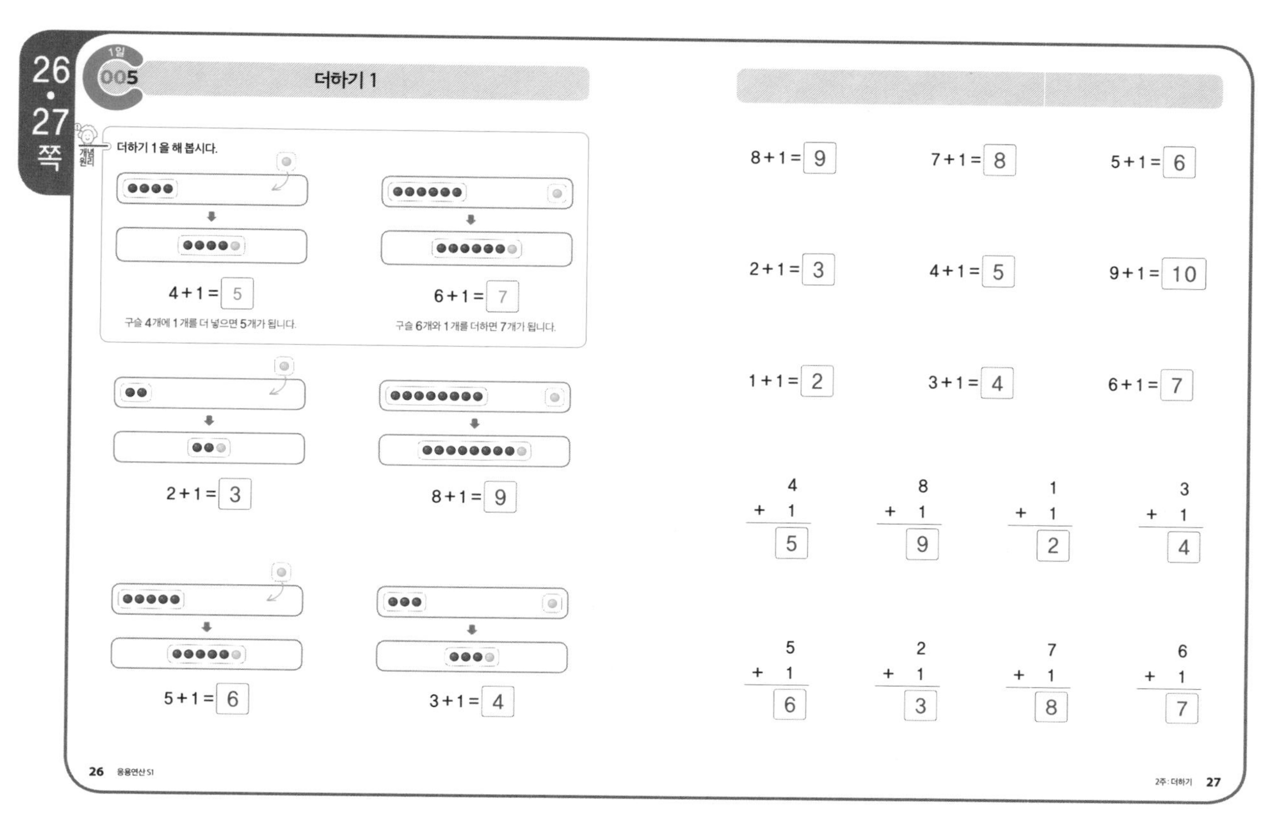
26·27쪽
005 더하기 1
더하기 1을 해 봅시다.
4 + 1 = 5
구슬 4개에 1개를 더 넣으면 5개가 됩니다.
6 + 1 = 7
구슬 6개와 1개를 더하면 7개가 됩니다.
2 + 1 = 3
8 + 1 = 9
5 + 1 = 6
3 + 1 = 4
8 + 1 = 9
7 + 1 = 8
5 + 1 = 6
2 + 1 = 3
4 + 1 = 5
9 + 1 = 10
1 + 1 = 2
3 + 1 = 4
6 + 1 = 7
4 + 1 = 5
8 + 1 = 9
1 + 1 = 2
3 + 1 = 4
5 + 1 = 6
2 + 1 = 3
7 + 1 = 8
6 + 1 = 7
26 응용연산 S1
2주 : 더하기 27

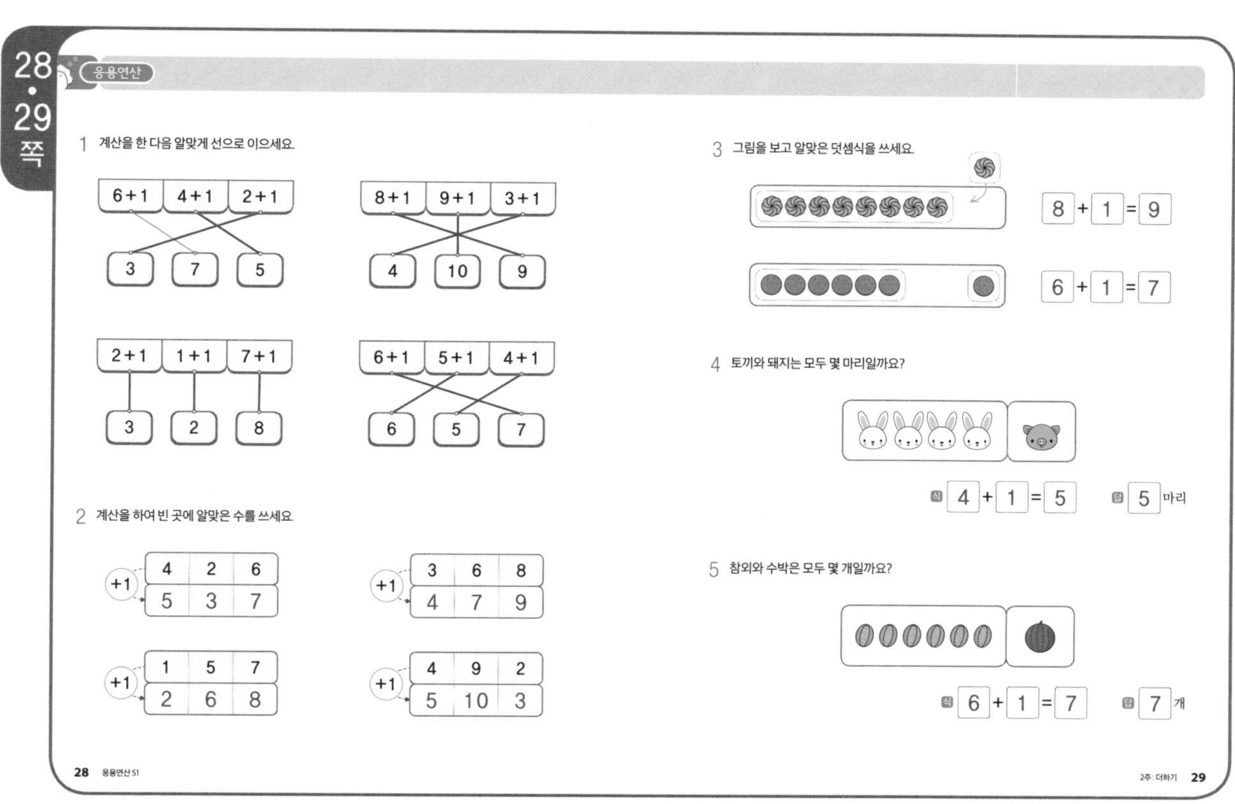
28·29쪽
응용연산
1 계산을 한 다음 알맞게 선으로 이으세요.
6+1 4+1 2+1
3 7 5
8+1 9+1 3+1
4 10 9
2+1 1+1 7+1
3 2 8
6+1 5+1 4+1
6 5 7
2 계산을 하여 빈 곳에 알맞은 수를 쓰세요.
+1
4 2 6
5 3 7
3 6 8
4 7 9
1 5 7
2 6 8
4 9 2
5 10 3
3 그림을 보고 알맞은 덧셈식을 쓰세요.
8 + 1 = 9
6 + 1 = 7
4 토끼와 돼지는 모두 몇 마리일까요?
식 4 + 1 = 5 답 5 마리
5 참외와 수박은 모두 몇 개일까요?
식 6 + 1 = 7 답 7 개
28 응용연산 S1
2주 : 더하기 29

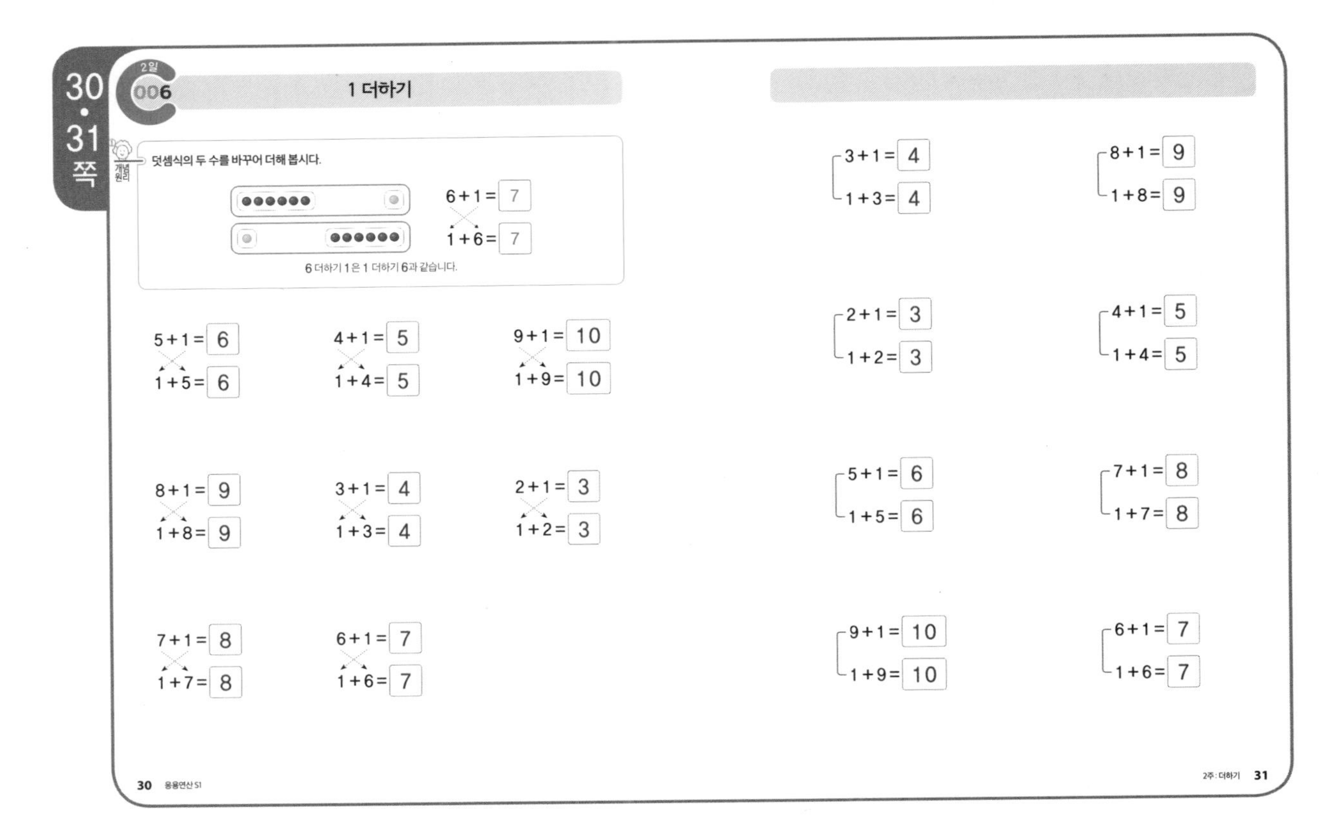
30·31쪽
2일 006 1 더하기
덧셈식의 두 수를 바꾸어 더해 봅시다.
6 + 1 = 7
1 + 6 = 7
6 더하기 1은 1 더하기 6과 같습니다.
5 + 1 = 6
1 + 5 = 6
4 + 1 = 5
1 + 4 = 5
9 + 1 = 10
1 + 9 = 10
8 + 1 = 9
1 + 8 = 9
3 + 1 = 4
1 + 3 = 4
2 + 1 = 3
1 + 2 = 3
7 + 1 = 8
1 + 7 = 8
6 + 1 = 7
1 + 6 = 7
3 + 1 = 4
1 + 3 = 4
8 + 1 = 9
1 + 8 = 9
2 + 1 = 3
1 + 2 = 3
4 + 1 = 5
1 + 4 = 5
5 + 1 = 6
1 + 5 = 6
7 + 1 = 8
1 + 7 = 8
9 + 1 = 10
1 + 9 = 10
6 + 1 = 7
1 + 6 = 7

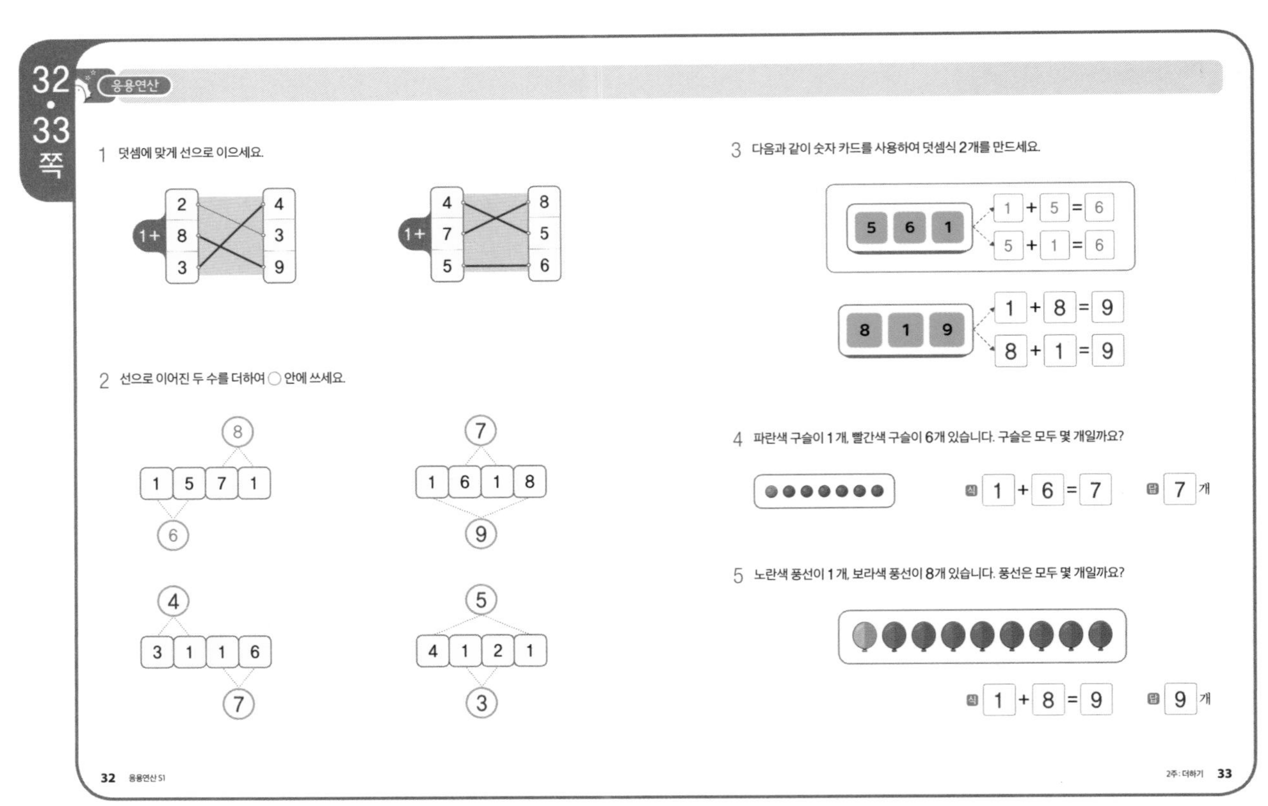
32·33쪽
응용연산
1 덧셈에 맞게 선으로 이으세요.
2 선으로 이어진 두 수를 더하여 ◯ 안에 쓰세요.
3 다음과 같이 숫자 카드를 사용하여 덧셈식 2개를 만드세요.
1 + 5 = 6
5 + 1 = 6
1 + 8 = 9
8 + 1 = 9
4 파란색 구슬이 1개, 빨간색 구슬이 6개 있습니다. 구슬은 모두 몇 개일까요?
식 1 + 6 = 7
답 7 개
5 노란색 풍선이 1개, 보라색 풍선이 8개 있습니다. 풍선은 모두 몇 개일까요?
식 1 + 8 = 9
답 9 개

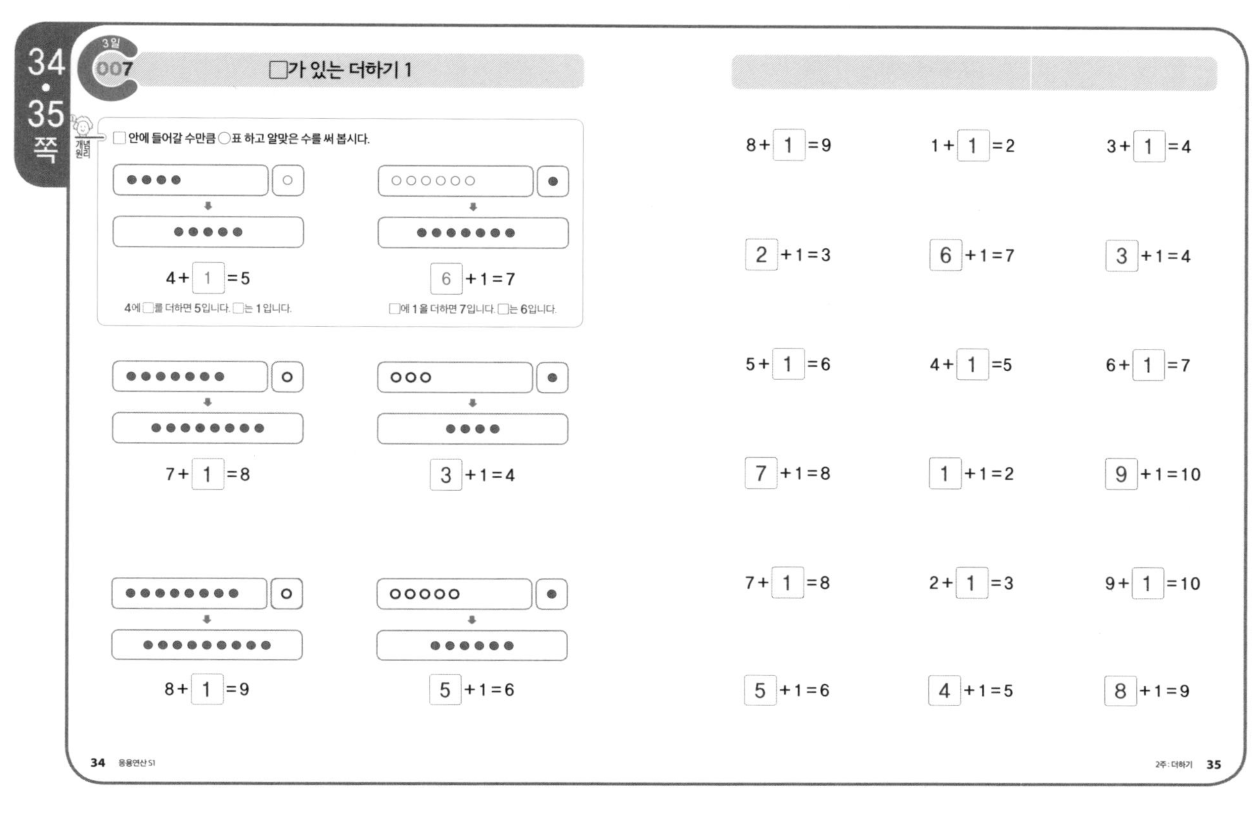
34 • 35 쪽

3일 007 □가 있는 더하기 1

개념원리 □안에 들어갈 수만큼 ○표 하고 알맞은 수를 써 봅시다.

4+ 1 =5

4에 □를 더하면 5입니다. □는 1입니다.

6 +1=7

□에 1을 더하면 7입니다. □는 6입니다.

7+ 1 =8

3 +1=4

8+ 1 =9

5 +1=6

8+ 1 =9 1+ 1 =2 3+ 1 =4

2 +1=3 6 +1=7 3 +1=4

5+ 1 =6 4+ 1 =5 6+ 1 =7

7 +1=8 1 +1=2 9 +1=10

7+ 1 =8 2+ 1 =3 9+ 1 =10

5 +1=6 4 +1=5 8 +1=9

34 응용연산 S1

2주: 더하기 35

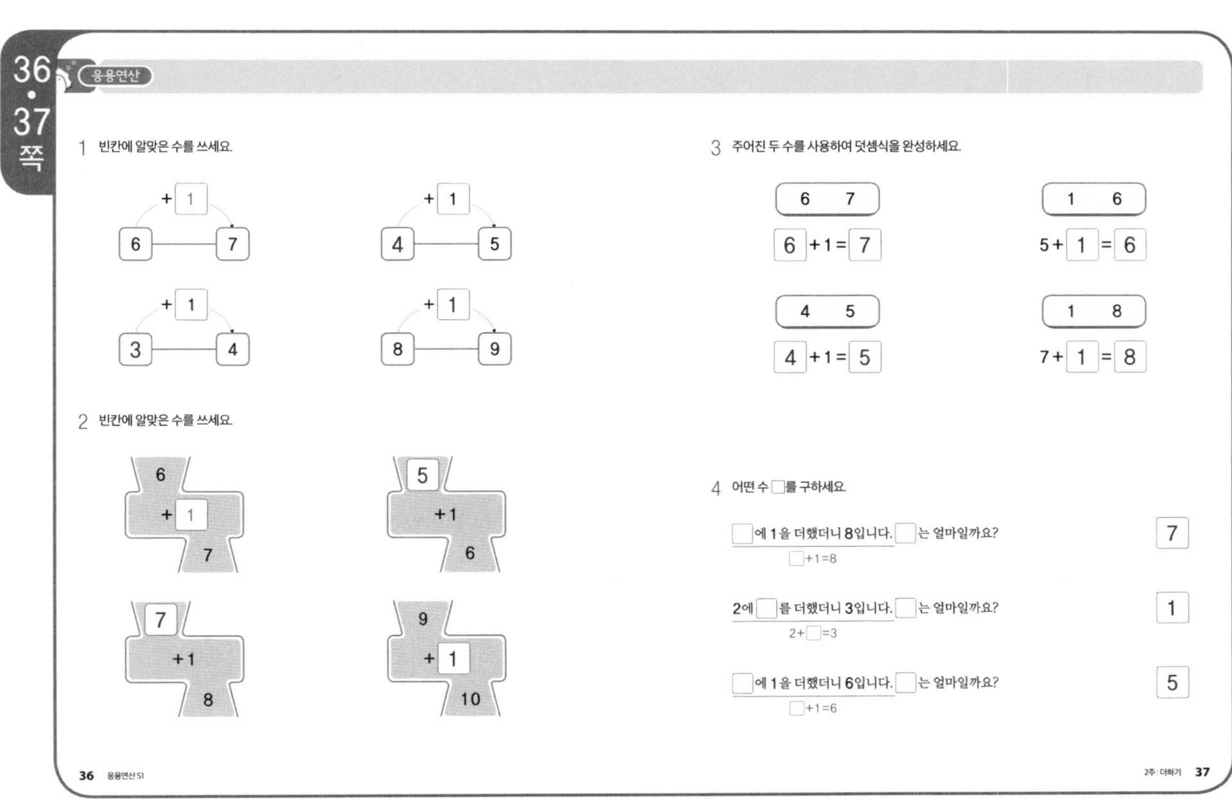
36 • 37 쪽

응용연산

1 빈칸에 알맞은 수를 쓰세요.

+1: 6 — 7

+1: 4 — 5

+1: 3 — 4

+1: 8 — 9

2 빈칸에 알맞은 수를 쓰세요.

6 +1 7

5 +1 6

7 +1 8

9 +1 10

3 주어진 두 수를 사용하여 덧셈식을 완성하세요.

6 7: 6 +1= 7

1 6: 5+ 1 = 6

4 5: 4 +1= 5

1 8: 7+ 1 = 8

4 어떤 수 □를 구하세요.

□에 1을 더했더니 8입니다. □는 얼마일까요? □+1=8 — 7

2에 □를 더했더니 3입니다. □는 얼마일까요? 2+□=3 — 1

□에 1을 더했더니 6입니다. □는 얼마일까요? □+1=6 — 5

36 응용연산 S1

2주: 더하기 37

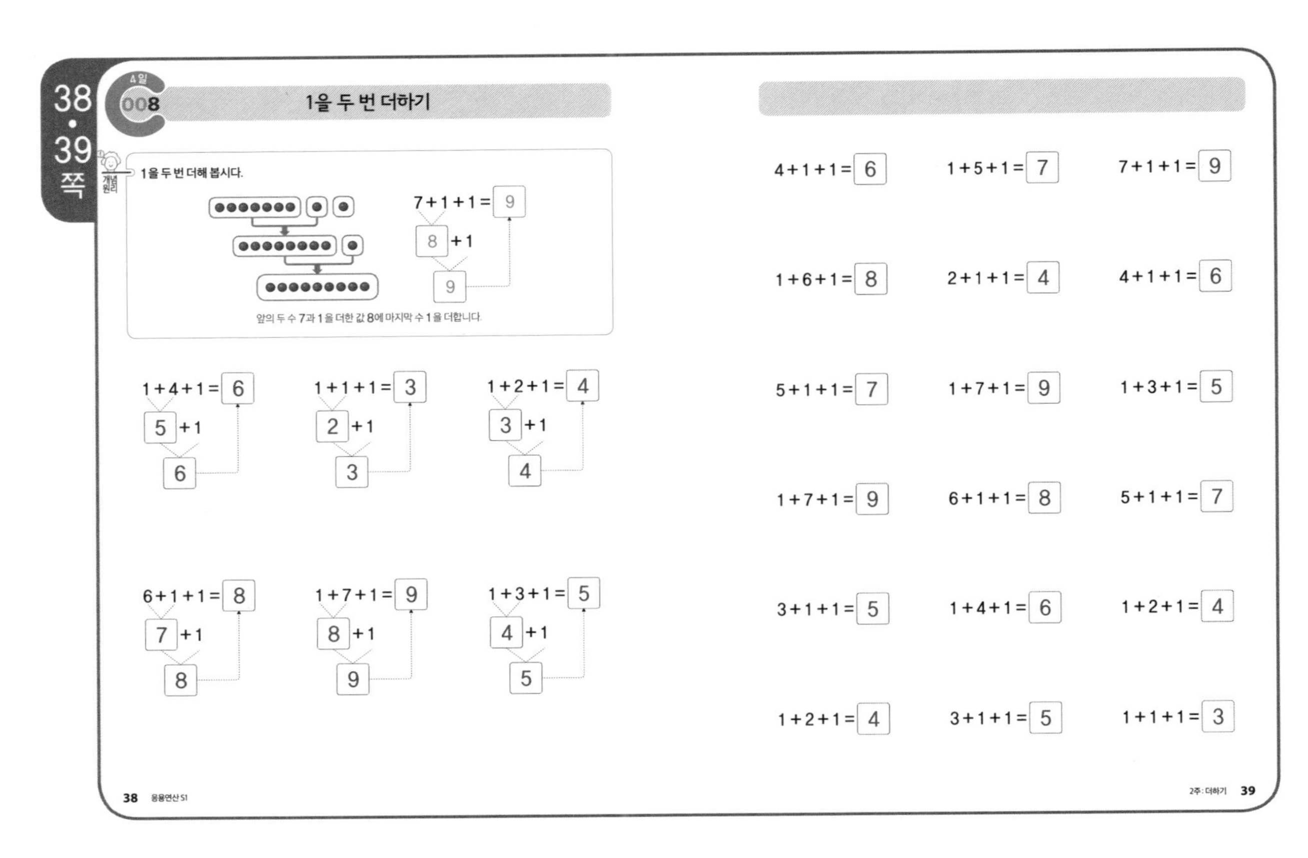

38·39쪽

4일 008 1을 두 번 더하기

개념 원리: 1을 두 번 더해 봅시다.

7 + 1 + 1 = 9
8 + 1
9

앞의 두 수 7과 1을 더한 값 8에 마지막 수 1을 더합니다.

1 + 4 + 1 = 6 (5 + 1 → 6)
1 + 1 + 1 = 3 (2 + 1 → 3)
1 + 2 + 1 = 4 (3 + 1 → 4)

6 + 1 + 1 = 8 (7 + 1 → 8)
1 + 7 + 1 = 9 (8 + 1 → 9)
1 + 3 + 1 = 5 (4 + 1 → 5)

4 + 1 + 1 = 6
1 + 5 + 1 = 7
7 + 1 + 1 = 9
1 + 6 + 1 = 8
2 + 1 + 1 = 4
4 + 1 + 1 = 6
5 + 1 + 1 = 7
1 + 7 + 1 = 9
1 + 3 + 1 = 5
1 + 7 + 1 = 9
6 + 1 + 1 = 8
5 + 1 + 1 = 7
3 + 1 + 1 = 5
1 + 4 + 1 = 6
1 + 2 + 1 = 4
1 + 2 + 1 = 4
3 + 1 + 1 = 5
1 + 1 + 1 = 3

38 응용연산 S1 / 2주: 더하기 39

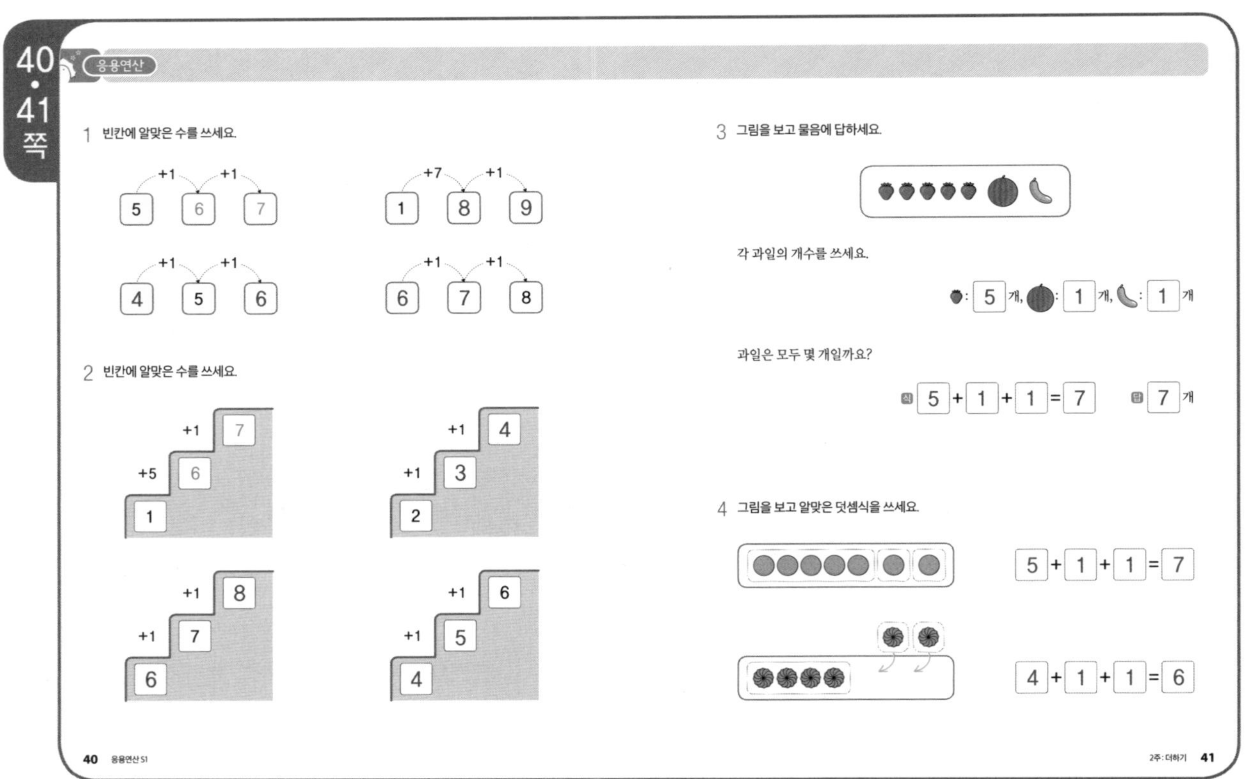

40·41쪽

응용연산

1 빈칸에 알맞은 수를 쓰세요.

5 →(+1) 6 →(+1) 7
1 →(+7) 8 →(+1) 9
4 →(+1) 5 →(+1) 6
6 →(+1) 7 →(+1) 8

2 빈칸에 알맞은 수를 쓰세요.

1 →(+5) 6 →(+1) 7
2 →(+1) 3 →(+1) 4
6 →(+1) 7 →(+1) 8
4 →(+1) 5 →(+1) 6

3 그림을 보고 물음에 답하세요.

각 과일의 개수를 쓰세요.

딸기: 5 개, 수박: 1 개, 바나나: 1 개

과일은 모두 몇 개일까요?

식 5 + 1 + 1 = 7 답 7 개

4 그림을 보고 알맞은 덧셈식을 쓰세요.

5 + 1 + 1 = 7

4 + 1 + 1 = 6

40 응용연산 S1 / 2주: 더하기 41

42·43쪽

5일 형성평가

1 계산을 한 다음 알맞게 선으로 이으세요.

8 + 1　4 + 1　5 + 1

5　6　9

(8 + 1 — 9, 4 + 1 — 5, 5 + 1 — 6)

2 토끼와 돼지는 모두 몇 마리일까요?

식 3 + 1 = 4　답 4 마리

3 덧셈을 하세요.

6 + 1 = 7
1 + 6 = 7

8 + 1 = 9
1 + 8 = 9

4 선으로 이어진 두 수를 더하여 ○ 안에 쓰세요.

(5)
1　4　1　7
(8)

(4)
1　3　5　1
(6)

5 다음 숫자 카드를 사용하여 덧셈식 2개를 만드세요.

6　1　5

5 + 1 = 6
1 + 5 = 6

6 □에 1을 더했더니 3입니다. □는 얼마일까요?　2

□ + 1 = 3



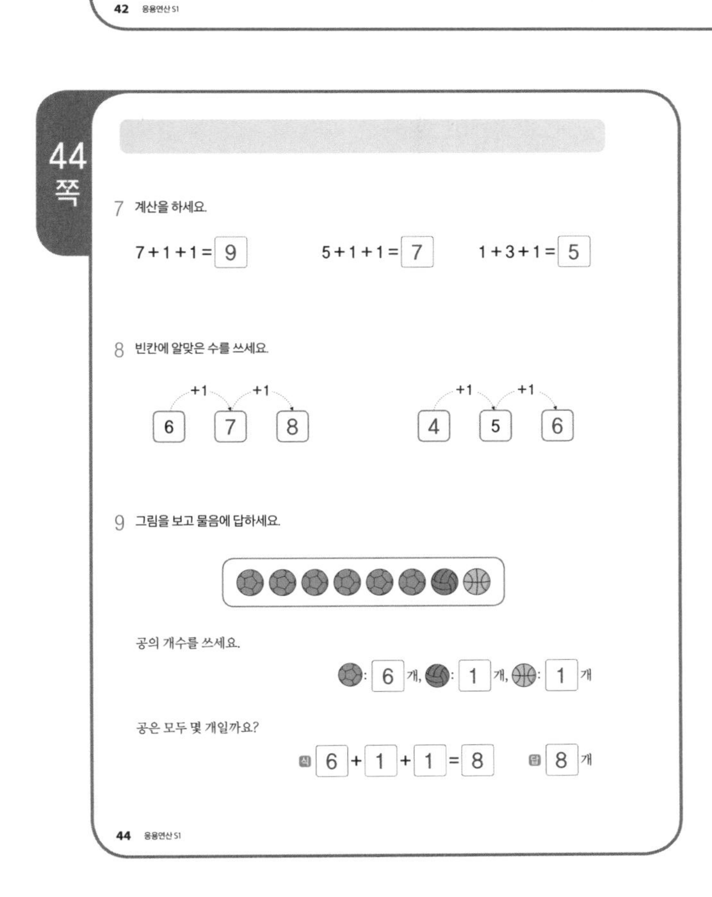
44쪽

7 계산을 하세요.

7 + 1 + 1 = 9　5 + 1 + 1 = 7　1 + 3 + 1 = 5

8 빈칸에 알맞은 수를 쓰세요.

6 →(+1) 7 →(+1) 8

4 →(+1) 5 →(+1) 6

9 그림을 보고 물음에 답하세요.

공의 개수를 쓰세요.

⚽: 6 개, 🏐: 1 개, 🏀: 1 개

공은 모두 몇 개일까요?

식 6 + 1 + 1 = 8　답 8 개

44 응용연산 S1

# 빼기

46·47쪽

1일 009 거꾸로 세기

10부터 거꾸로 세어 빈칸에 알맞은 수를 써 봅시다.

10 → 9 → 8 → 7 → 6 → 5 → 4 → 3 → 2 → 1

10부터 거꾸로 세면 '십 구 팔 칠 육 오 사 삼 이 일'입니다.

10 → 9 → 8 → 7 → 6 → 5 → 4 → 3 → 2 → 1

10 → 9 → 8 → 7 → 6 → 5 → 4 → 3 → 2 → 1

10 → 9 → 8 → 7 → 6 → 5 → 4 → 3 → 2 → 1

10 → 9 → 8 → 7 → 6 → 5 → 4 → 3 → 2 → 1

10 → 9 → 8 → 7 → 6 → 5 → 4 → 3 → 2 → 1

6 - 5 - 4 - 3 | 9 - 8 - 7 - 6

5 - 4 - 3 - 2 | 7 - 6 - 5 - 4

4 - 3 - 2 - 1 | 10 - 9 - 8 - 7

9 - 8 - 7 - 6 | 5 - 4 - 3 - 2

8 - 7 - 6 - 5 | 6 - 5 - 4 - 3

7 - 6 - 5 - 4 | 4 - 3 - 2 - 1

46 응용연산 S1 | 3주: 빼기 47

48·49쪽

응용연산

1 10부터 거꾸로 세어 차례로 선을 이으세요.

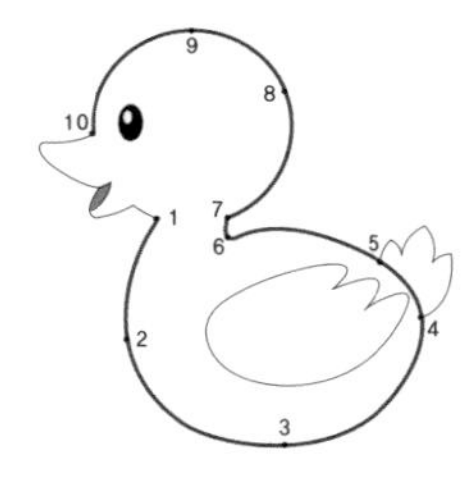


2 ◯안의 수를 사용하여 거꾸로 세어 보세요.

5 7 3 4 6 → 7 - 6 - 5 - 4 - 3

9 5 6 7 8 → 9 - 8 - 7 - 6 - 5

1 4 5 3 2 → 5 - 4 - 3 - 2 - 1

5 3 2 6 4 → 6 - 5 - 4 - 3 - 2

3 거꾸로 세어 차례로 이으세요.

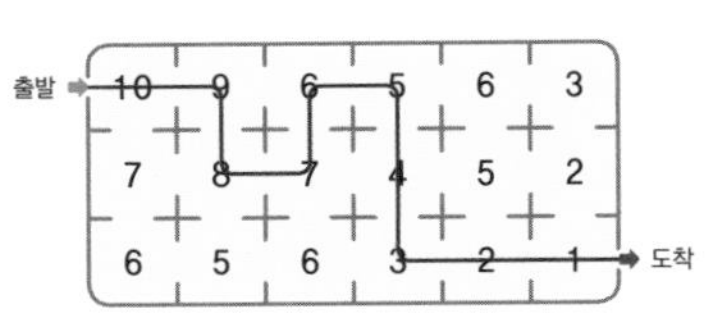


4 거꾸로 세었습니다. 7 다음에 오는 수에 ◯표 하고 수를 쓰세요.

10 9 8 7 (6) 5 4 3 2 1 — 6

5 거꾸로 세었습니다. 3 다음에 오는 수는 얼마일까요? — 2

6 10부터 거꾸로 5번 세었습니다. 마지막에 센 수는 얼마일까요?

10 9 8 7 6 5 (1번 2번 3번 4번 5번) — 5

48 응용연산 S1 | 3주: 빼기 49

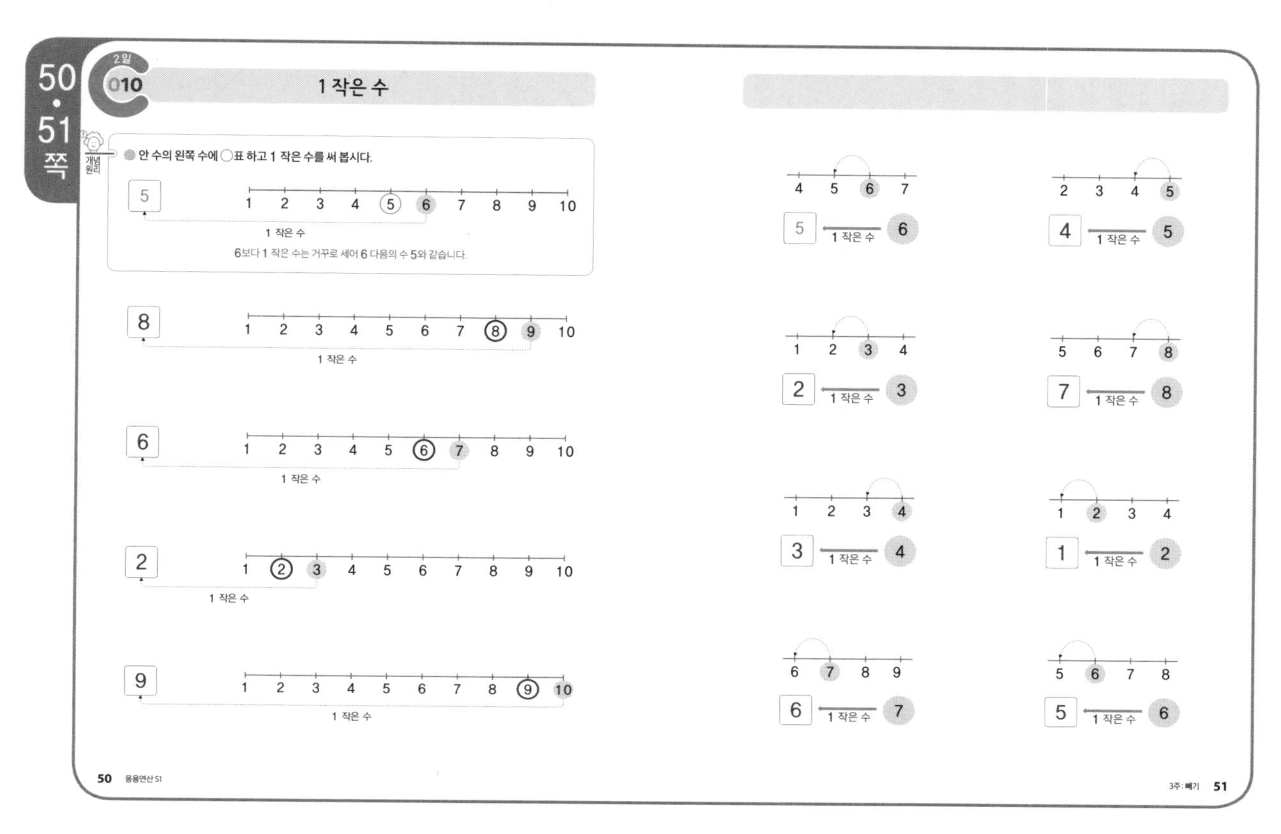
50
51
쪽
2일
010
1 작은 수
개념 원리
안 수의 왼쪽 수에 ○표 하고 1 작은 수를 써 봅시다.
1 작은 수
6보다 1 작은 수는 거꾸로 세어 6 다음의 수 5와 같습니다.
50 응용연산 S1
3주: 빼기 51

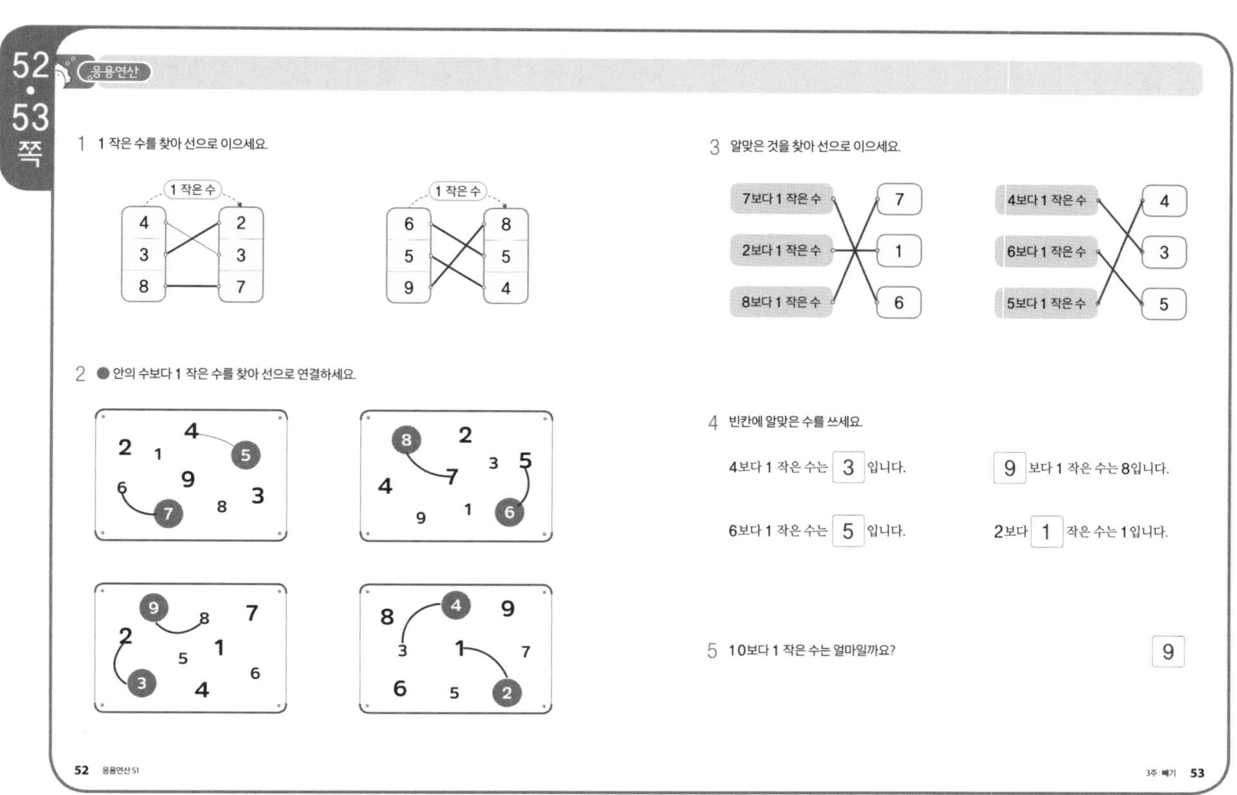
52
53
쪽
응용연산
1 1 작은 수를 찾아 선으로 이으세요.
2 ● 안의 수보다 1 작은 수를 찾아 선으로 연결하세요.
3 알맞은 것을 찾아 선으로 이으세요.
7보다 1 작은 수
2보다 1 작은 수
8보다 1 작은 수
4보다 1 작은 수
6보다 1 작은 수
5보다 1 작은 수
4 빈칸에 알맞은 수를 쓰세요.
4보다 1 작은 수는 3 입니다.
9 보다 1 작은 수는 8입니다.
6보다 1 작은 수는 5 입니다.
2보다 1 작은 수는 1입니다.
5 10보다 1 작은 수는 얼마일까요? 9
52 응용연산 S1
3주: 빼기 53

54 · 55쪽

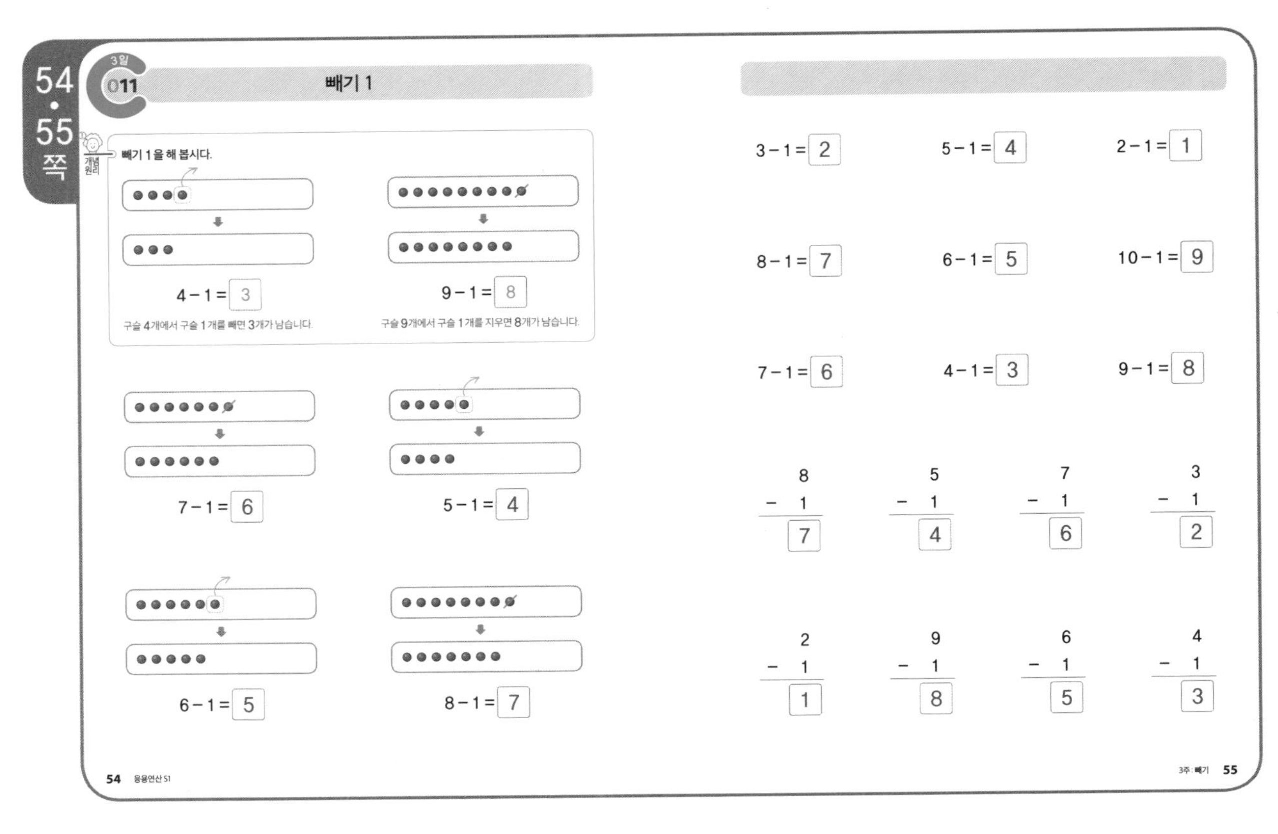

3일 011 빼기 1

개념원리 빼기 1을 해 봅시다.

4 − 1 = 3

구슬 4개에서 구슬 1개를 빼면 3개가 남습니다.

9 − 1 = 8

구슬 9개에서 구슬 1개를 지우면 8개가 남습니다.

7 − 1 = 6

5 − 1 = 4

6 − 1 = 5

8 − 1 = 7

3 − 1 = 2

5 − 1 = 4

2 − 1 = 1

8 − 1 = 7

6 − 1 = 5

10 − 1 = 9

7 − 1 = 6

4 − 1 = 3

9 − 1 = 8

8 − 1 = 7

5 − 1 = 4

7 − 1 = 6

3 − 1 = 2

2 − 1 = 1

9 − 1 = 8

6 − 1 = 5

4 − 1 = 3

54 응용연산 S1

3주: 빼기 55

56 · 57쪽

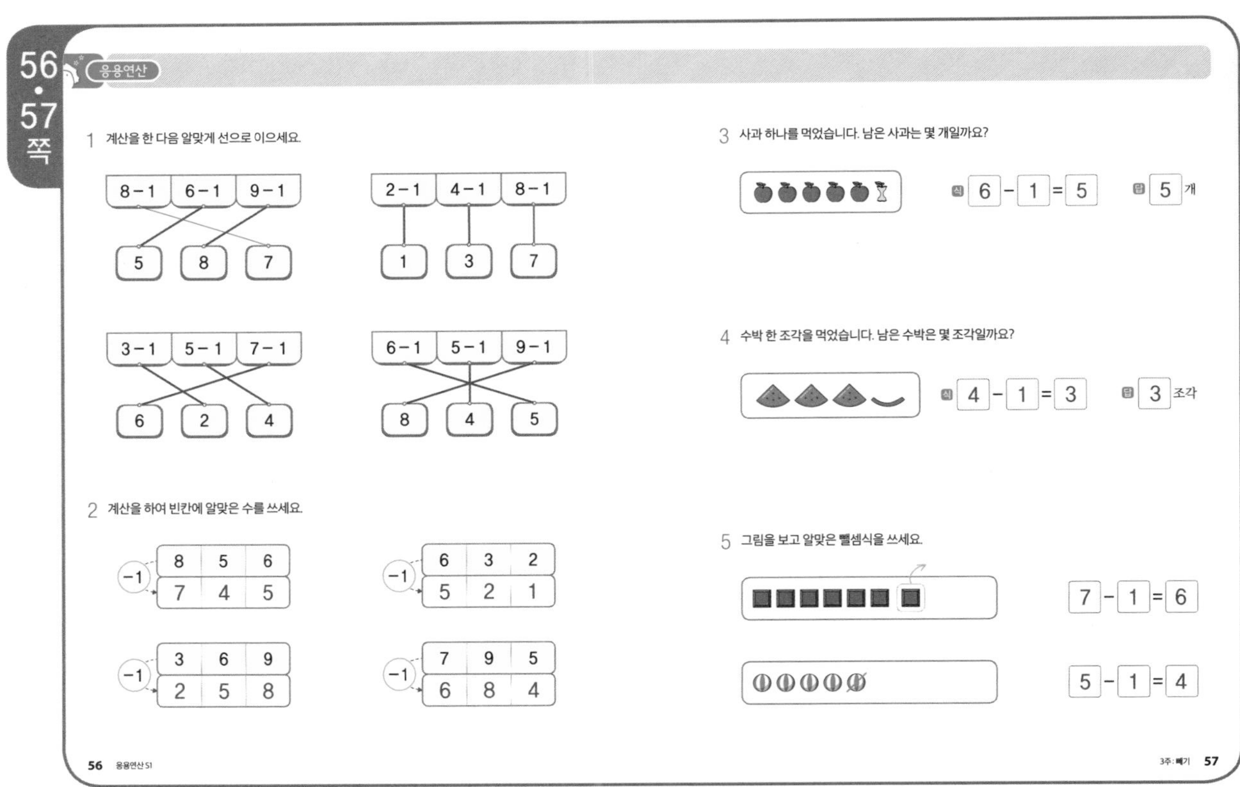

응용연산

1 계산을 한 다음 알맞게 선으로 이으세요.

8 − 1, 6 − 1, 9 − 1 / 5, 8, 7

2 − 1, 4 − 1, 8 − 1 / 1, 3, 7

3 − 1, 5 − 1, 7 − 1 / 6, 2, 4

6 − 1, 5 − 1, 9 − 1 / 8, 4, 5

2 계산을 하여 빈칸에 알맞은 수를 쓰세요.

| −1 | 8 | 5 | 6 |
|---|---|---|---|
| | 7 | 4 | 5 |

| −1 | 6 | 3 | 2 |
|---|---|---|---|
| | 5 | 2 | 1 |

| −1 | 3 | 6 | 9 |
|---|---|---|---|
| | 2 | 5 | 8 |

| −1 | 7 | 9 | 5 |
|---|---|---|---|
| | 6 | 8 | 4 |

3 사과 하나를 먹었습니다. 남은 사과는 몇 개일까요?

식 6 − 1 = 5　답 5 개

4 수박 한 조각을 먹었습니다. 남은 수박은 몇 조각일까요?

식 4 − 1 = 3　답 3 조각

5 그림을 보고 알맞은 뺄셈식을 쓰세요.

7 − 1 = 6

5 − 1 = 4

56 응용연산 S1

3주: 빼기 57

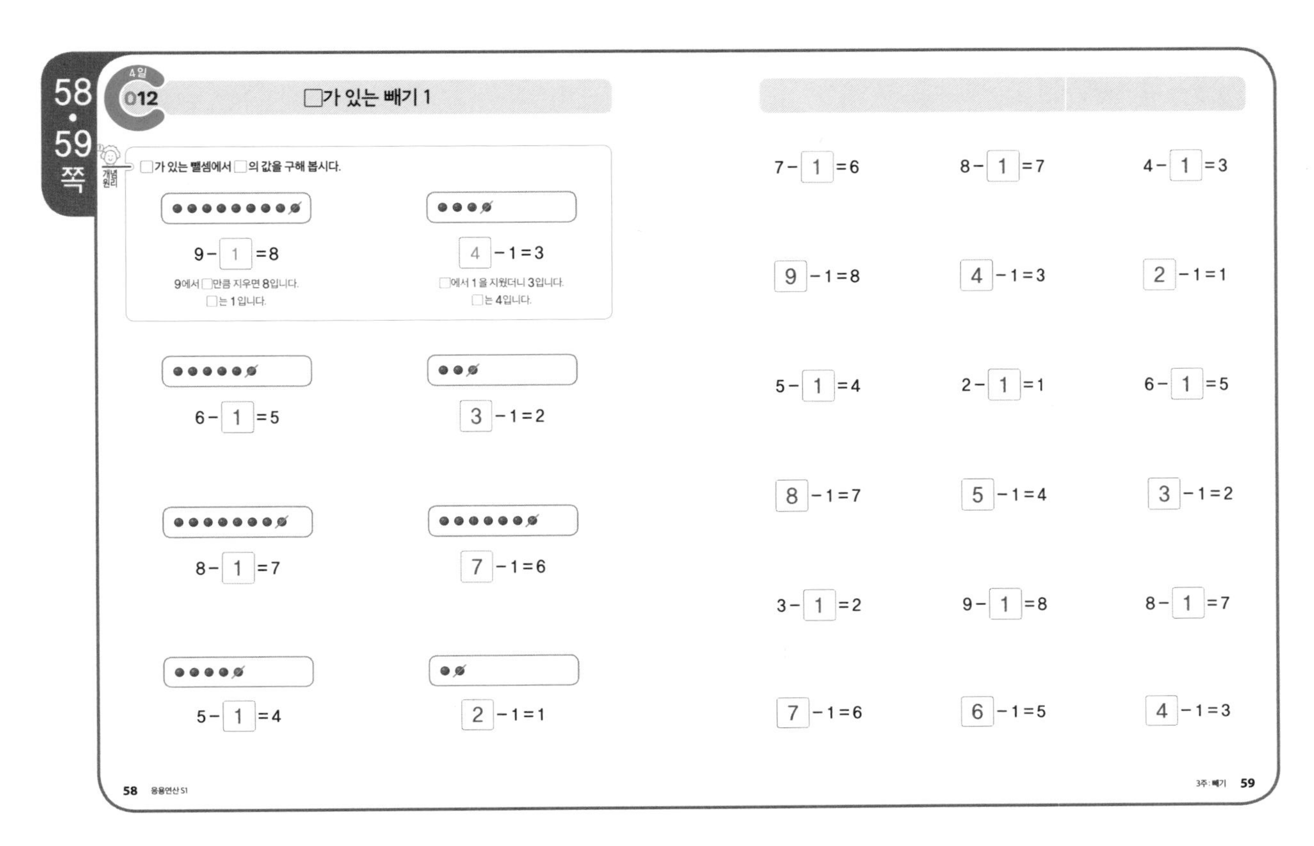
58·59쪽

4일 012 □가 있는 빼기 1

개념원리 □가 있는 뺄셈에서 □의 값을 구해 봅시다.

9 − 1 = 8
9에서 □만큼 지우면 8입니다.
□는 1입니다.

4 − 1 = 3
□에서 1을 지웠더니 3입니다.
□는 4입니다.

6 − 1 = 5

3 − 1 = 2

8 − 1 = 7

7 − 1 = 6

5 − 1 = 4

2 − 1 = 1

7 − 1 = 6　8 − 1 = 7　4 − 1 = 3

9 − 1 = 8　4 − 1 = 3　2 − 1 = 1

5 − 1 = 4　2 − 1 = 1　6 − 1 = 5

8 − 1 = 7　5 − 1 = 4　3 − 1 = 2

3 − 1 = 2　9 − 1 = 8　8 − 1 = 7

7 − 1 = 6　6 − 1 = 5　4 − 1 = 3

58 응용연산 S1　　3주: 빼기 59

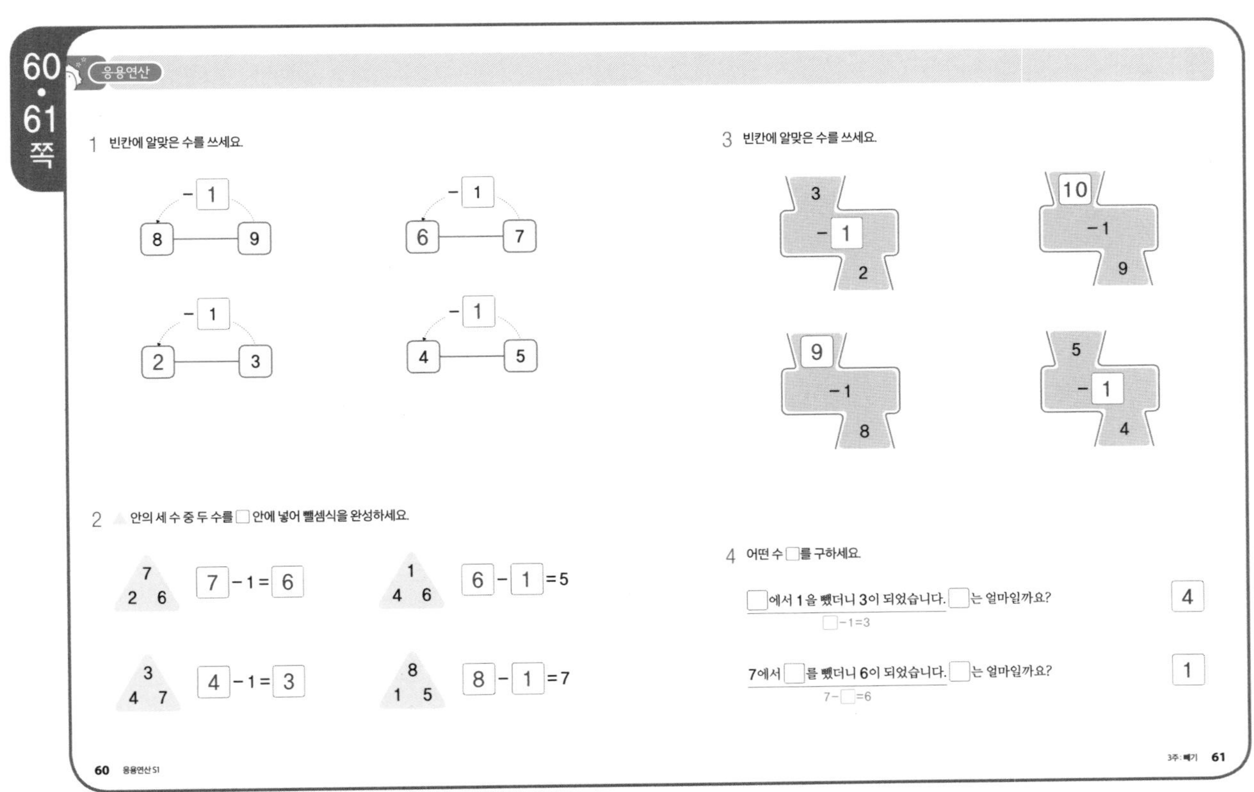
60·61쪽

응용연산

1 빈칸에 알맞은 수를 쓰세요.

−1: 9 → 8
−1: 7 → 6
−1: 3 → 2
−1: 5 → 4

2 △ 안의 세 수 중 두 수를 □ 안에 넣어 뺄셈식을 완성하세요.

(7, 2, 6) 7 − 1 = 6
(1, 4, 6) 6 − 1 = 5
(3, 4, 7) 4 − 1 = 3
(8, 1, 5) 8 − 1 = 7

3 빈칸에 알맞은 수를 쓰세요.

3, −1, 2
10, −1, 9
9, −1, 8
5, −1, 4

4 어떤 수 □를 구하세요.

□에서 1을 뺐더니 3이 되었습니다. □는 얼마일까요? 4
□ − 1 = 3

7에서 □를 뺐더니 6이 되었습니다. □는 얼마일까요? 1
7 − □ = 6

60 응용연산 S1　　3주: 빼기 61

62·63쪽

5일 형성평가

1 거꾸로 세어 빈칸에 알맞은 수를 쓰세요.

9 - 8 - 7 - 6

5 - 4 - 3 - 2

2 ⬡ 안의 수를 사용하여 거꾸로 세어 보세요.

⬡ 1, 4, 5, 3, 2 → 5 - 4 - 3 - 2 - 1

⬡ 9, 7, 5, 8, 6 → 9 - 8 - 7 - 6 - 5

3 ● 안의 수보다 1 작은 수를 쓰세요.

4, 5, 6, 7: 5 —1 작은 수— 6

6, 7, 8, 9: 8 —1 작은 수— 9

4 ● 안의 수보다 1 작은 수를 찾아 선으로 연결하세요.

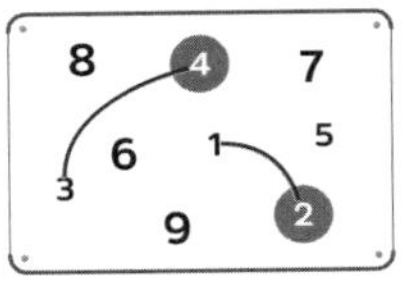

8, 4, 7, 6, 1, 5, 3, 9, 2 (4 — 3, 2 — 1)

5 계산을 한 다음 알맞게 선으로 이으세요.

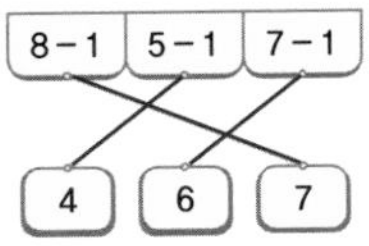

8 − 1 — 7, 5 − 1 — 4, 7 − 1 — 6

6 아이스크림을 1개 먹었습니다. 남은 아이스크림은 몇 개일까요?

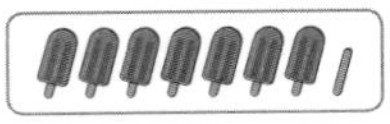

식 8 − 1 = 7 답 7 개





64쪽

7 ▲ 안의 세 수 중 두 수를 □ 안에 넣어 뺄셈식을 완성하세요.

(4, 1, 3) 4 − 1 = 3

(8, 7, 1) 7 − 1 = 6

8 □ 안에 알맞은 수를 쓰세요.

6 − 1 → 5

3 − 1 → 2

9 □에서 1을 뺐더니 7이 되었습니다. □는 얼마일까요?

□ − 1 = 7

8

# 더하기와 빼기

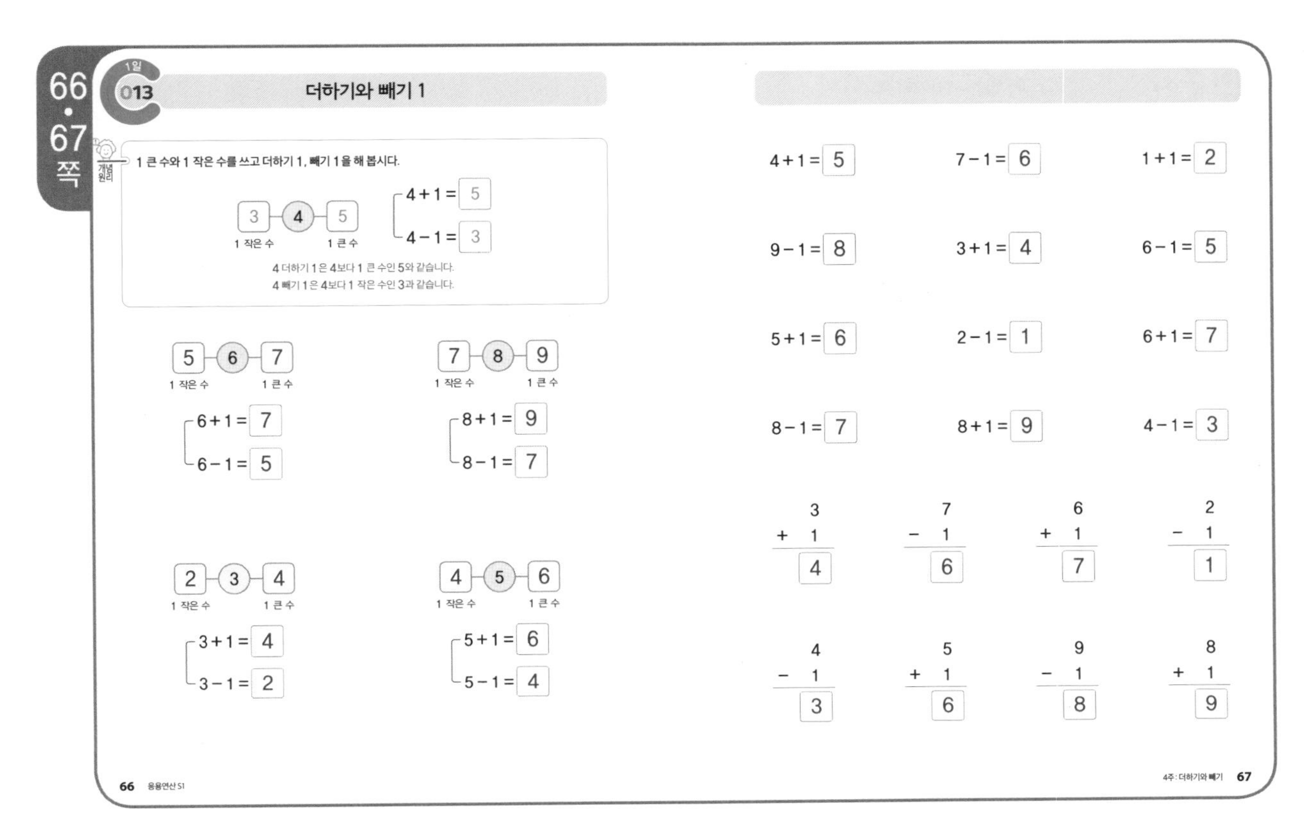
66·67쪽
013 더하기와 빼기 1
1 큰 수와 1 작은 수를 쓰고 더하기 1, 빼기 1을 해 봅시다.
3 4 5
1 작은 수 1 큰 수
4+1= 5
4−1= 3
4 더하기 1은 4보다 1 큰 수인 5와 같습니다.
4 빼기 1은 4보다 1 작은 수인 3과 같습니다.
5 6 7
6+1= 7
6−1= 5
7 8 9
8+1= 9
8−1= 7
2 3 4
3+1= 4
3−1= 2
4 5 6
5+1= 6
5−1= 4
4+1= 5
7−1= 6
1+1= 2
9−1= 8
3+1= 4
6−1= 5
5+1= 6
2−1= 1
6+1= 7
8−1= 7
8+1= 9
4−1= 3
3+1=4
7−1=6
6+1=7
2−1=1
4−1=3
5+1=6
9−1=8
8+1=9
66 응용연산 S1
4주: 더하기와 빼기 67

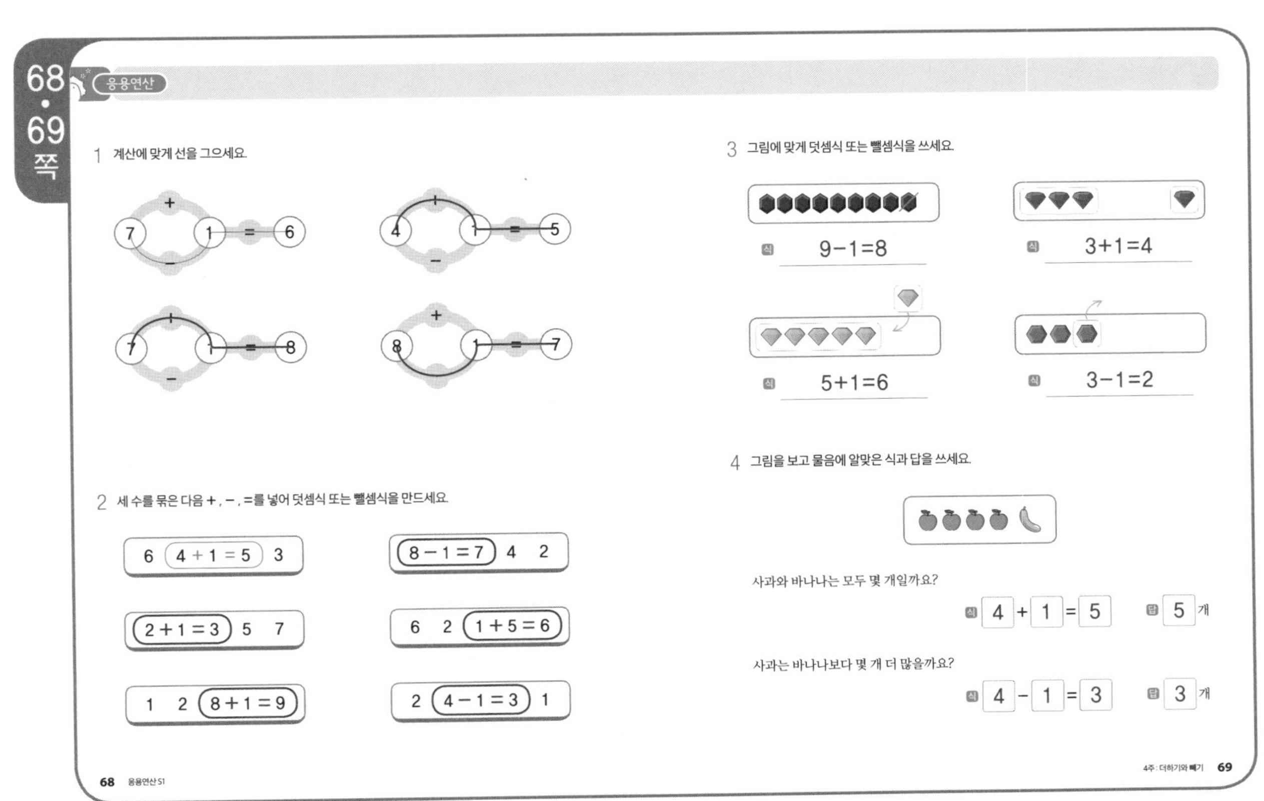
68·69쪽
응용연산
1 계산에 맞게 선을 그으세요.
2 세 수를 묶은 다음 +, −, =를 넣어 덧셈식 또는 뺄셈식을 만드세요.
6 (4+1=5) 3
(8−1=7) 4 2
(2+1=3) 5 7
6 2 (1+5=6)
1 2 (8+1=9)
2 (4−1=3) 1
3 그림에 맞게 덧셈식 또는 뺄셈식을 쓰세요.
식 9−1=8
식 3+1=4
식 5+1=6
식 3−1=2
4 그림을 보고 물음에 알맞은 식과 답을 쓰세요.
사과와 바나나는 모두 몇 개일까요?
식 4 + 1 = 5
답 5 개
사과는 바나나보다 몇 개 더 많을까요?
식 4 − 1 = 3
답 3 개
68 응용연산 S1
4주: 더하기와 빼기 69

70·71쪽

## 2일 014 □가 있는 더하기와 빼기 1

개념원리 수직선을 보고 □ 안에 알맞은 수를 써 봅시다.

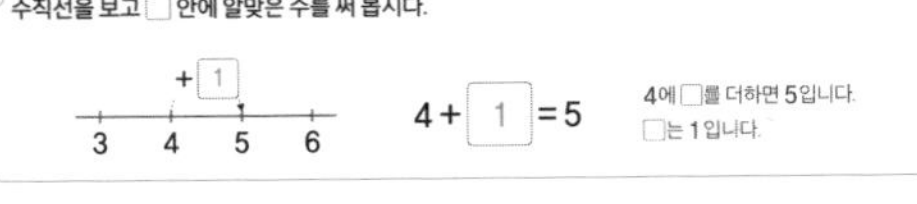


6 + 1 = 7

5 − 1 = 4

8 − 1 = 7

7 + 1 = 8

8 + 1 = 9

3 − 1 = 2

7 − 1 = 6　6 + 1 = 7　5 + 1 = 6

3 + 1 = 4　9 − 1 = 8　8 − 1 = 7

6 − 1 = 5　2 + 1 = 3　7 + 1 = 8

8 + 1 = 9　3 − 1 = 2　4 − 1 = 3

4 − 1 = 3　2 + 1 = 3　9 − 1 = 8　4 + 1 = 5

8 + 1 = 9　6 − 1 = 5　3 + 1 = 4　7 − 1 = 6





72·73쪽

## 응용연산

1 □ 안에 알맞은 수를 써넣고 같은 것끼리 연결하세요.

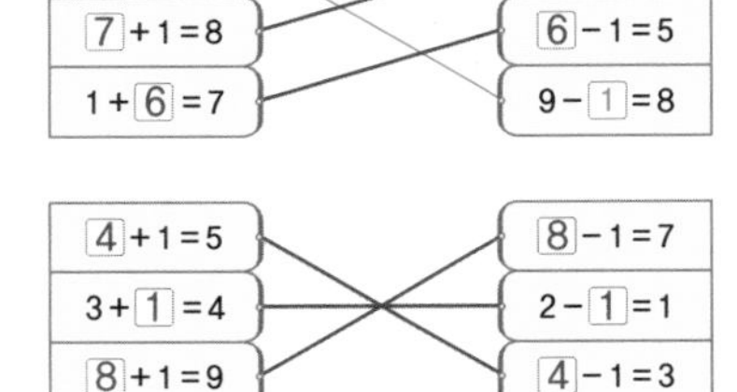


| | |
|---|---|
| 4 + 1 = 5 | 8 − 1 = 7 |
| 3 + 1 = 4 | 2 − 1 = 1 |
| 8 + 1 = 9 | 4 − 1 = 3 |

2 가로, 세로 방향으로 덧셈식과 뺄셈식이 성립하도록 빈 곳에 수를 채우세요.

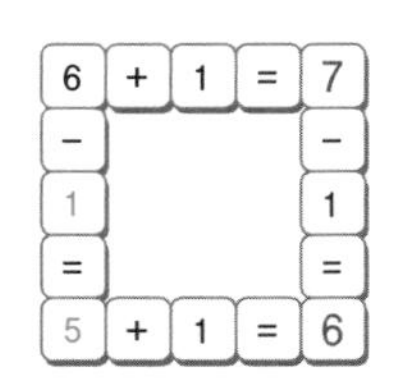


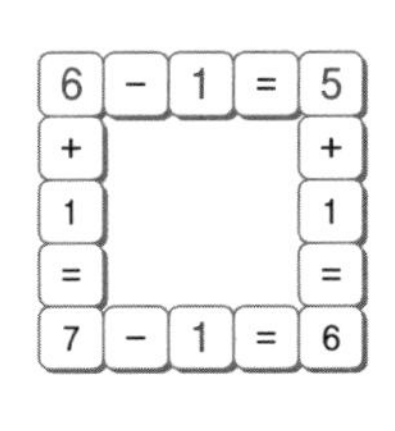


3 어떤 수를 □라 하여 식을 세웠습니다. 관계있는 것끼리 선으로 이으세요.

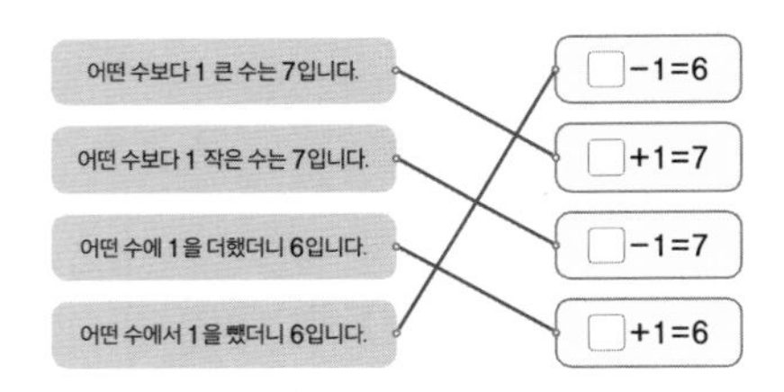


4 어떤 수를 구하세요.

어떤 수에 1을 더했더니 8입니다. 어떤 수는 얼마일까요? 7
□+1=8

5에서 어떤 수를 뺐더니 4가 되었습니다. 어떤 수는 얼마일까요? 1
5−□=4

5 □ 안에 알맞은 두 수를 찾아 모두 ○표 하세요.

5는 4 보다 1 크고, 6 보다 1 작습니다.　(4) 5 (6) 7 8

## 74·75쪽

3일 015 **합과 차**

개념원리 두 수의 합과 차를 구해 봅시다.

1 5 → 합 6 (←1+5), 차 4 (←5−1)

1과 5의 합은 1+5=6이고
1과 5의 차는 5−1=4입니다.
차는 큰 수에서 작은 수를 뺍니다.

| 두 수 | 합 | 차 |
|---|---|---|
| 3 1 | 4 | 2 |
| 1 7 | 8 | 6 |
| 1 4 | 5 | 3 |
| 8 1 | 9 | 7 |
| 2 1 | 3 | 1 |
| 5 1 | 6 | 4 |
| 6 1 | 7 | 5 |
| 1 3 | 4 | 2 |
| 4 1 | 5 | 3 |

5+1= 7 −1

7 +1=9−1

1+ 6 =8−1

1+2= 4 −1

3+1= 5 −1

5 +1=7−1

4 +1=6−1

6+1= 8 −1

2+1= 4 −1

3 +1=5−1

6 +1=8−1

1+ 5 =7−1

1+7= 9 −1

1 +1=3−1





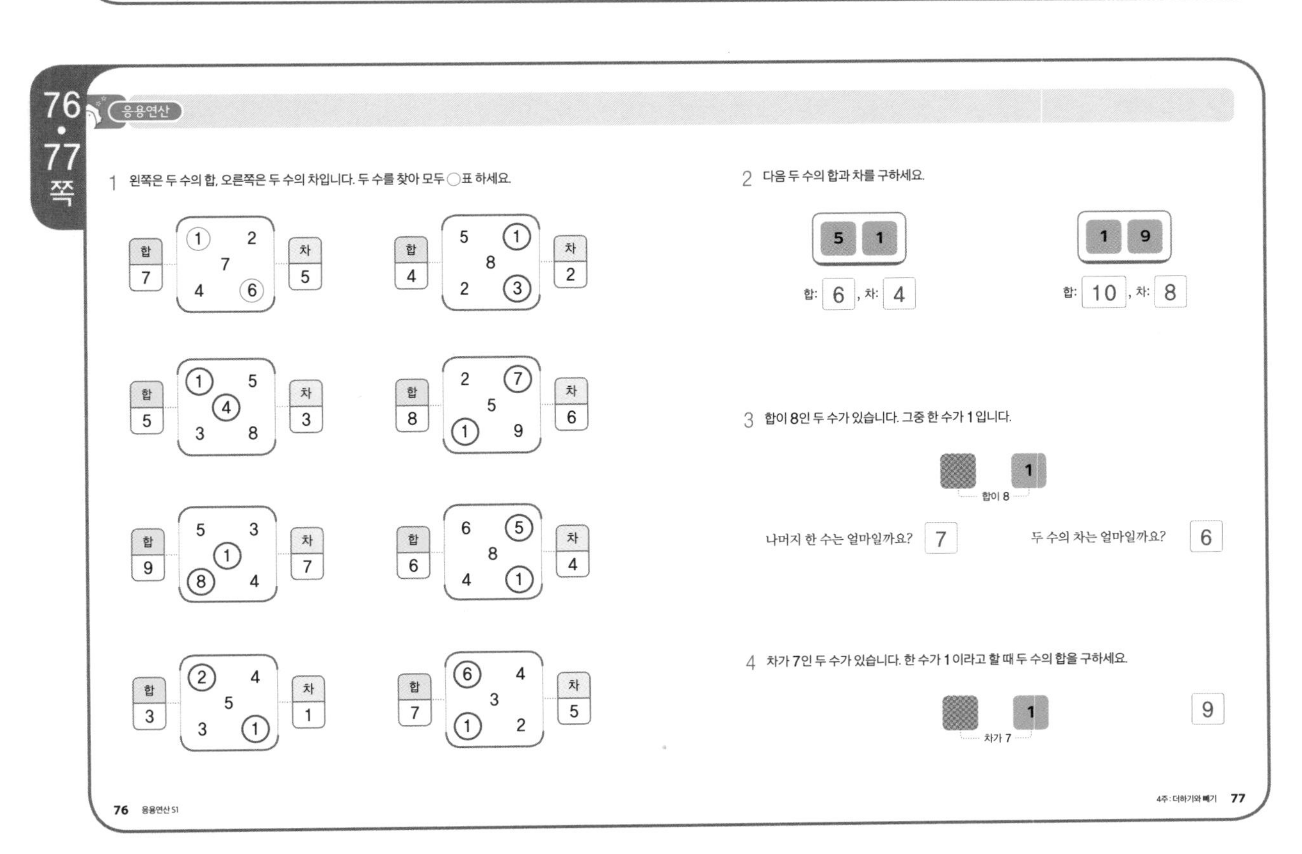

## 76·77쪽

응용연산

1 왼쪽은 두 수의 합, 오른쪽은 두 수의 차입니다. 두 수를 찾아 모두 ◯표 하세요.

| 합 | 수 | 차 | 답 |
|---|---|---|---|
| 7 | 1, 2, 7, 4, 6 | 5 | (1), (6) |
| 4 | 5, 1, 8, 2, 3 | 2 | (1), (3) |
| 5 | 1, 5, 4, 3, 8 | 3 | (1), (4) |
| 8 | 2, 7, 5, 1, 9 | 6 | (7), (1) |
| 9 | 5, 3, 1, 8, 4 | 7 | (1), (8) |
| 6 | 6, 5, 8, 4, 1 | 4 | (5), (1) |
| 3 | 2, 4, 5, 3, 1 | 1 | (2), (1) |
| 7 | 6, 4, 3, 1, 2 | 5 | (6), (1) |

2 다음 두 수의 합과 차를 구하세요.

5 1 → 합: 6 , 차: 4

1 9 → 합: 10 , 차: 8

3 합이 8인 두 수가 있습니다. 그중 한 수가 1입니다.

▒ 1 (합이 8)

나머지 한 수는 얼마일까요? 7

두 수의 차는 얼마일까요? 6

4 차가 7인 두 수가 있습니다. 한 수가 1이라고 할 때 두 수의 합을 구하세요.

▒ 1 (차가 7)

9

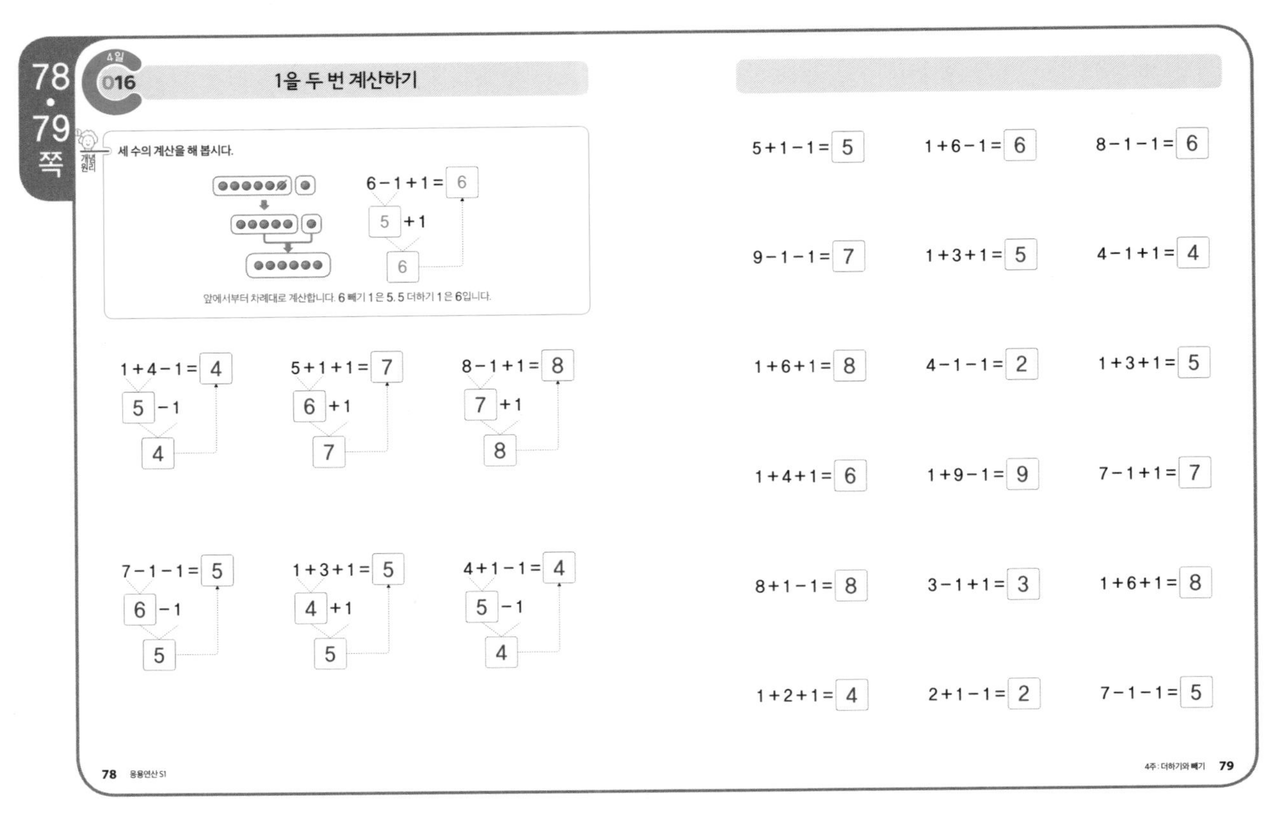
78·79쪽
016 1을 두 번 계산하기
세 수의 계산을 해 봅시다.
6−1+1=6
앞에서부터 차례대로 계산합니다. 6 빼기 1은 5, 5 더하기 1은 6입니다.
1+4−1=4
5+1+1=7
8−1+1=8
7−1−1=5
1+3+1=5
4+1−1=4
5+1−1=5
1+6−1=6
8−1−1=6
9−1−1=7
1+3+1=5
4−1+1=4
1+6+1=8
4−1−1=2
1+3+1=5
1+4+1=6
1+9−1=9
7−1+1=7
8+1−1=8
3−1+1=3
1+6+1=8
1+2+1=4
2+1−1=2
7−1−1=5
78 응용연산 S1
4주: 더하기와 빼기 79

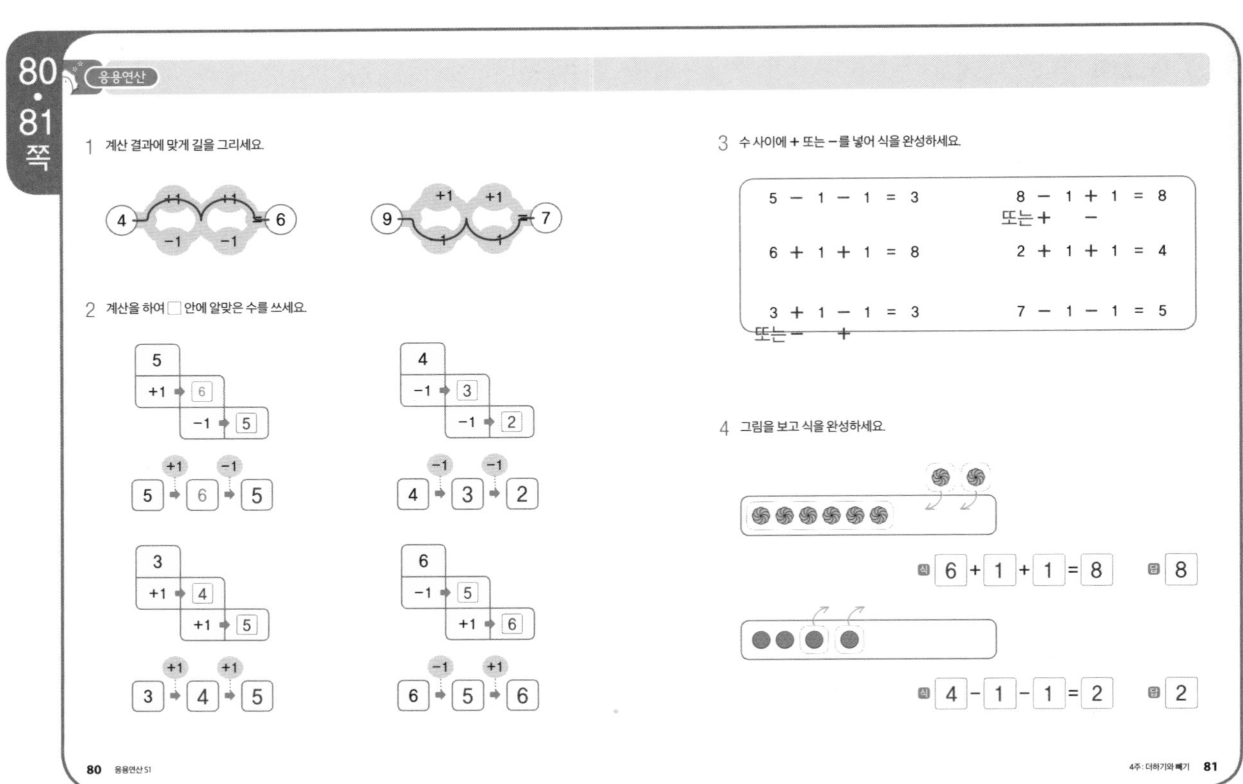
80·81쪽
응용연산
1 계산 결과에 맞게 길을 그리세요.
2 계산을 하여 □ 안에 알맞은 수를 쓰세요.
5 → 6 → 5
4 → 3 → 2
3 → 4 → 5
6 → 5 → 6
3 수 사이에 + 또는 −를 넣어 식을 완성하세요.
5 − 1 − 1 = 3
8 − 1 + 1 = 8 또는 + −
6 + 1 + 1 = 8
2 + 1 + 1 = 4
3 + 1 − 1 = 3 또는 − +
7 − 1 − 1 = 5
4 그림을 보고 식을 완성하세요.
식 6 + 1 + 1 = 8 답 8
식 4 − 1 − 1 = 2 답 2
80 응용연산 S1
4주: 더하기와 빼기 81

82·83쪽

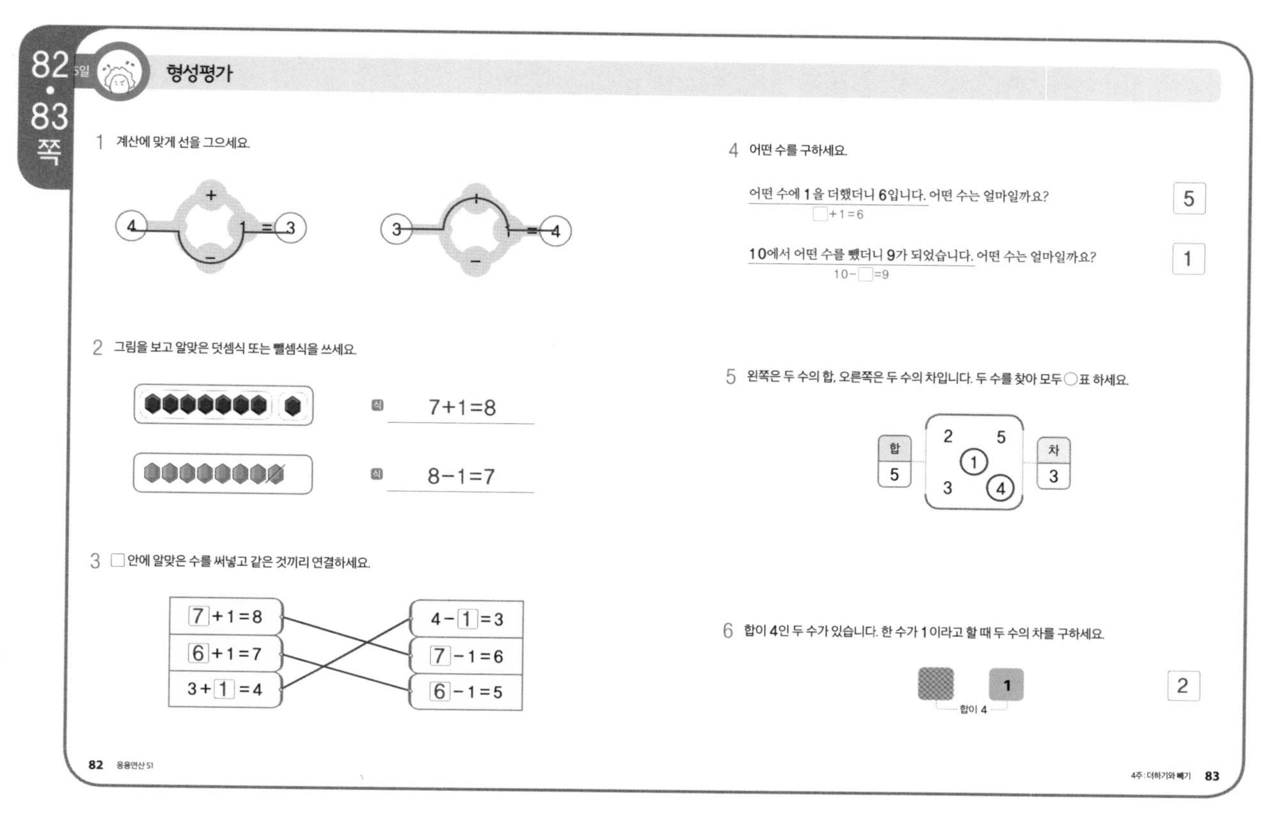
5일 형성평가

1 계산에 맞게 선을 그으세요.

4 + − 1 = 3

3 + − 1 = 4

2 그림을 보고 알맞은 덧셈식 또는 뺄셈식을 쓰세요.

식 7+1=8

식 8−1=7

3 □ 안에 알맞은 수를 써넣고 같은 것끼리 연결하세요.

| 7 +1=8 | 4− 1 =3 |
|---|---|
| 6 +1=7 | 7 −1=6 |
| 3+ 1 =4 | 6 −1=5 |

4 어떤 수를 구하세요.

어떤 수에 1을 더했더니 6입니다. 어떤 수는 얼마일까요? □+1=6 → 5

10에서 어떤 수를 뺐더니 9가 되었습니다. 어떤 수는 얼마일까요? 10−□=9 → 1

5 왼쪽은 두 수의 합, 오른쪽은 두 수의 차입니다. 두 수를 찾아 모두 ○표 하세요.

합 5 | 2 5 ① 3 ④ | 차 3

6 합이 4인 두 수가 있습니다. 한 수가 1이라고 할 때 두 수의 차를 구하세요.

1 합이 4 → 2

82 응용연산 S1 — 4주 : 더하기와 빼기 83

84쪽

7 계산을 하세요.

5+1−1= 5

6−1−1= 4

1+7+1= 9

7−1+1= 7

8 계산을 하여 □ 안에 알맞은 수를 쓰세요.

4 → −1 → 3 → −1 → 2

4 → 3 → 2 (−1, −1)

5 → +1 → 6 → +1 → 7

5 → 6 → 7 (+1, +1)

9 그림을 보고 식을 완성하세요.

식 6 − 1 + 1 = 6 답 6

84 응용연산 S1

Memo

Memo

“

**Numbers rule the universe.**

”

"수가 우주를 지배한다"

*Pythagoras, 피타고라스*